Patrick Chamoiseau

L'esclave vieil homme et le molosse

Avec un entre-dire d'Édouard Glissant

Gallimard

Patrick Chamoiseau, né le 3 décembre 1953 à Fort-de-France, en Martinique, a publié du théâtre, des romans (*Chronique des sept misères, Solibo Magnifique*), des récits (*Antan d'enfance, Chemin-d'école*) et des essais littéraires (*Éloge de la créolité, Lettres créoles*). En 1992, le prix Goncourt lui a été attribué pour son roman *Texaco*.

LE MONDE A-T-IL
UNE INTENTION ?

A Miguel Chamoiseau,
qui sait peut-être où est la Pierre.

P.C.

Cadences

1. Matière

... Il y a là, devant la case, un vieil homme qui ne sait rien de « poésie », et dont la voix seule s'oppose. Les cheveux gris sur la tête noire, il porte dans la mêlée de terres, dans les deux histoires, pays d'avant et pays-ci, le pur et rétif pouvoir d'une racine. Il dure, il piète dans la friche qui ne procure. (À lui les profonds, les possibles de la voix !) J'ai vu ses yeux, j'ai vu ses yeux égarés chercher l'espace du monde.

Songe immobile des os,
de ce qui a été, n'est plus,
et qui pourtant persiste en l'assise d'un éveil.

Toucher,
feuillet I

Du temps de l'esclavage dans les isles-à-sucre, il y eut un vieux-nègre sans histoires ni gros-saut, ni manières à spectacle. Il était amateur de silence, goûteur de solitude. C'était un minéral de patiences immobiles. Un inépuisable bambou. On le disait rugueux telle une terre du Sud ou comme l'écorce d'un arbre qui a passé mille ans. Pourtant, la Parole laisse entendre qu'il s'enflamma soudain d'un bel boucan de vie.

Les histoires d'esclavage ne nous passionnent guère. Peu de littérature se tient à ce propos. Pourtant, ici, *terres amères des sucres*, nous nous sentons submergés par ce nœud de mémoires qui nous âcre d'oublis et de présences hurlantes. À chaque fois, quand elle veut se construire, notre parole se tourne de ce côté-là, comme dans l'axe d'une source dont le jaillissement encore irrésolu manque à cette soif qui nous habite, irrémédiable. Ainsi, m'est parvenue l'histoire de cet esclave vieil homme. Une histoire à grands sillons d'histoires variantes, en chants de langue créole, en jeux de langue française. Seules de proliférantes mémoires pourraient en suivre les emmêlements. Ici, soucieux de ma parole, je ne saurais aller qu'en un rythme léger flottant sur leurs musiques.

Au démarrage de cette histoire, chacun sait que cet esclave vieil homme va bientôt mourir. Cette conviction ne se fonde sur aucune évidence. Il dispose encore de la vigueur, et donne l'impression d'un minéral indestructible, de quelque chose de djok. Ses yeux ne sont ni brillants ni éteints mais denses comme certains marigots où la foudre est tombée. Sa parole se conserve plus rare (et de sens autant inaccessible) qu'un écho de falaise. Il soumet sa case aux propretés maniaques des anciennes personnes, et son jardin de survie, raclé dessous les bois, donne l'exemple bel d'une lutte contre la famine. Donc, rien. Rien n'annonce sa fin proche sinon cet âge incalculable que les plus séculaires registres d'Habitation ne sauraient garantir. Les gens les plus ridés n'ont pas souvenir du jour de sa naissance, et personne d'encore vivant n'a goûté aux bombes de son baptême ; de ce fait, il est dans l'obscur admis de tous que son quart-d'heure de vie (ce peu donné sur terre) a déroulé le dernier bout.

L'Habitation se situe dans le nord du pays, entre le flanc d'une montagne-volcan et les bois très épais — bois de ravines sombres hérissées des ruines d'une époque oubliée, bois d'eaux symphoniques dans l'entrelacs des roches, bois d'arbres chanteurs, peuplés de diablesses opalines que les contes de veillées ameutent dans le cercle des peurs. Les champs de cannes-à-sucre cernent l'Habitation, puis s'en vont velouter la houle des mornes bossus. En haut, ils s'estompent dans la brume des hauteurs avec un miroitement de métal en fusion. En bas, ils s'achèvent sans grâce contre la muraille des bois, dans un grouillis de paille boueuse.

L'Habitation possède cent soixante-sept esclaves, femmes et marmailles compris. Deux commandeurs mulâtres y régentent les travaux quotidiens. Elle est propriété d'un Maître-béké dont le patronyme vibre d'une particule. Ce dernier revêt sa toute-puissance d'un lin blanc et d'un casque toilé qui lui confère l'allure de quelque conquistador tombé d'un pli du temps. Il mène ses inspections du haut d'un alezan d'Arabie que des naufragés polonais, soucieux d'un bout de terre où ancrer leur exil, lui ont offert en échange d'une rocaille. Son épouse et ses quatre enfants vivotent dans les senteurs d'acajou de la Grand-case, à l'ombre de ses colères imprévisibles. Ses garçons sont blêmes et criards ; sa fille fait pousser de longs cheveux de miel et bat de la paupière sur des pupilles trop fixes ; et sa Dame donne du prix à son aphone mélancolie en s'égayant de temps à autre d'un vieux rire dramatique. Durant son peu de temps libre, et à l'issue de ses vêpres du dimanche, le Béké mignonne un molosse redoutable destiné à traquer les foubins qui fuient les servitudes. Nul, jusqu'alors, n'a pu déjouer l'effrayante traque de l'animal. Le Maître l'adore sans doute à cause de cela. Il n'a d'embellie de sourire qu'à l'intention de ce fauve. Et quand, sur sa véranda, il gratte d'une mandoline nacrée, le molosse soupire comme une amante orientale. Les esclaves de la région et ceux de son domaine, d'aussi loin qu'ils puissent être, s'abandonnent aux chairs de poule en percevant cette mélodie salope.

L'Habitation est petite, mais chaque maille de ses mémoires se perd dans les cendres du temps. La dent des chaînes. Le rouache du fouet. La déchirée des cris. Morts explosives. Famines. Massacrantes fatigues. Exils. Déportations de peuples différents forcés de vivre ensemble sans les morales et les lois du Vieux-monde. Tout cela brouille très vite, pour ces personnes rassemblées-là, l'oscillation des souvenirs et le sonar des songes. Ne subsiste, dans leurs chairs, leur esprit, qu'un calalou de temps croupis (sans rythmes d'horloge) et de mémoires décomposées.

Depuis l'arrivée des colons, cette île s'est muée en un magma de terre de feu d'eau et de vents agité par la soif des épices. Beaucoup d'âmes s'y sont dispersées. Les Amérindiens des premiers temps se sont transformés en lianes de douleurs qui étranglent les arbres et ruissellent sur les falaises, tel le sang inapaisé de leur propre génocide. Les bateaux négriers des seconds temps ont ramené des nègres d'Afrique destinés aux esclavages des champs-de-cannes. Seulement, ils ont vendu aux planteurs-békés, nullement des hommes, mais de lentes processions de chairs défaites, maquillées d'huile et de vinaigre. Elles ont semblé non pas émerger de l'abîme mais relever à jamais de l'abîme lui-même. Les colons sont les seuls à mouvoir les masses charnelles de ce magma (baptiser, assassiner, libérer, construire, s'enrichir), mais ils ressemblent mieux à des fermentations qu'à des personnes vivantes ; et leurs yeux régentant les actes d'esclavage n'ont sans doute plus de ces jeux de paupières qu'autorisent l'innocence, la pudeur, la pitié.

Désignons cette horreur : pièce de ces misères si souvent illustrées, mais le *déshumain grandiose* qui œuvre l'existant comme densité inerte, indescriptible.

L'Habitation est — à l'instar de toutes choses de ces temps — désenchantée, sans rêves, sans avenir que l'on puisse supposer. Le vieil esclave y a blanchi sa vie. Et, au fond de cette soupe, son existence n'a eu ni rime ni sens apparent. Juste les macaqueries de l'obéissance, les postures de la servilité, la cadence des plantations et des coupes de la canne, la raide merveille du sucre qui naît dans les cuves, le charroi des sacs vers les gabarres du bourg. On ne lui a jamais rien reproché. Il n'a jamais rien quémandé à quiconque. Il répond à un nom dérisoire octroyé par le Maître. Le sien, le vrai, devenu inutile, s'est perdu sans qu'il ait eu le sentiment de l'avoir oublié. Sa généalogie, sa probable lignée de papa manman et arrière-grands-parents, se résume au nombril enfoncé dans son ventre, et qui zieute le monde tel un œil coco-vide, très froid et sans songes millénaires. L'esclave vieil homme est abîme comme son nombril.

Il a connu tous les stades de l'industrie sucrière. Sur ses derniers jours — non à cause d'un manqué d'énergie, mais d'expérience accumulée — il s'occupe de la cuisson du sucre, une affaire délicate qu'il exécute sans donner l'impression de manier un savoir. À la lueur des chaudières, sa peau prend la texture des baquets en fonte ou des tuyaux rouillés, et parfois même le jaune-cuivre du sucre cristallisant. Sa sueur le piquette du vernis des vieux bois de moulins et dégage une odeur de roche chaude et de sirop songeur. Parfois même, le regard attentif du Maître ne le distingue pas du bloc des machines ; elles semblent aller seules ; mais le Maître repart avec le sentiment qu'il est là — sentiment conforté par la juste odeur du sucre levant et du tempo huilé des turbines.

On ne le voit pas danser lors des soirs de veillée. Les esclaves y exorcisent leur propre mort par des rythmes et des danses, et des contes, et des luttes. Il demeure dans son coin, des années durant, suçant une pipe de tabac-macouba dont l'incendie sévère lui sculpte la figure. Certains danseurs et tambouyés lui reprochent son apathie. Tous passent leurs nuits à s'inventer une chair, à réveiller leurs os, et, surtout, fourrer leur bois-de-vie dans l'ombrage des négresses soûles de danse-calenda. Ils projettent ainsi, dans leur matrice fiévreuse, une renaissance future, à dire un différé de leur propre existence. Mais cette astuce dont l'ambition est de survivre à la mort n'a pas semblé préoccuper notr'homme.

Les commandeurs se soucient peu de l'esclave vieil homme, et n'ont pièce raison de le faire. Lié à l'Habitation comme l'air et comme la terre et comme le sucre, plus ancien que le plus ancien des arbres anciens, et sans âge envisageable, celui-ci s'est de tout temps inscrit dans ces absences qui animent les muscles. Il ne sert pas (tels certains vieux-corps dans d'autres Habitations) de mémoire sur les sources du domaine ; n'a pas d'avis sur les fertilités des différentes parcelles ; ne tient ni prophéties du temps ni mesurages de la récolte à la simple vue des pousses. Le Maître-béké, l'interrogeant, a bien tenté d'en faire une voix de sagesse. L'a même crié « Papa » à l'instar de son père, et de son grand-père, et de son fils aîné qui s'y met lui aussi. Mais l'antique esclave n'en soutire pièce modèle d'avantage, ni même un mouvement autre que l'exact geste servile. Demeure inaltérable. Sans parole, sans promesse. Compact et infiniment fluide dans les actes du travail qui seuls l'engouent d'une vie sans signe et sans visage.

Les esclaves aussi ont tenté d'en faire un « Papa ». Un charroyeur de terre promise. Un nannan de sens et d'histoire. Un guide, à la manière de ce maître-tuteur qui pilote la poussée du manioc. Un Mentor. Ils l'ont souventes fois questionné sur le *Pays-d'avant,* sur le sens de la voie, sur la nécessité de tuer le Maître-béké, ses marmailles, sa Madame, d'incendier la Grand-case. Des rebelles ont mandé sa bénédiction juste avant leur courir dans les bois et leur traque par le fatal molosse. Mais lui n'a jamais rien dit, ni jamais rien donné ni offert la moindre main à ces attentes magiques. Son silence tisonne les esprits. On lui attribue des pouvoirs et des forces. On le traite en *connaissant,* capable d'infirmer le venin des Bêtes-longues et d'arracher aux plantes les vertus opposées du remède à-tous-maux et du poison total. Il peut, jure-t-on, purger les maladies, dépailler le chagrin de vivre, différer l'empoignée de la mort même dont il semble compère. Contraint par les suppliques, il appose les paumes sur des douleurs fatales, ou embrasse le front noué d'un mourant, ou supporte les griffes raidies d'un supplicié à l'agonie vers le pays d'Avant. Il embrasse des nouveau-nés, ou touche les jarrets d'un qui mendie le courage de s'enfuir. Mais il ne fait jamais plus. Même si certains miracles se produisent, même s'il confère, au hasard de ces gestes, une force, un contre-cœur, une graine d'espoir viril, son regard ne s'allume pas pour autant, ni sa peau ne frissonne. Il prend — définitive — l'opaque substance de cette masse d'hommes qui ne sont plus des hommes, qui ne sont pas des bêtes, qui ne sont pas non plus comme cette gueule océane alentour du pays. Ils sont une confusion d'existants dévastés, indistincts dans l'informe.

On finit par le haïr. Puis par le vénérer. Puis par le haïr à nouveau. Puis par l'oublier. Puis par se poser la question de son âge. Puis par le traiter comme on traite les misérables dont on n'attend plus rien. Avec un respect désarmé, une bienveillance sans désir un peu indifférente. À force de ce traitement, lui aussi doit se persuader qu'il a usé son temps. Et s'il s'accommode de cette idée, cela ne change rien à ses manières.

L'unique signe que tout cela est faux, c'est qu'un jour au réveil, il déserte l'appel. Personne bien sûr n'a crié son nom, mais son geste manque en certains lieux où de coutume aucun problème n'advient. Un mulet que nul ne sait calmer. Puis une chaudière qui macaye sans qu'aucune diligence n'en connaisse le principe. Puis un trop-chauffé du sucre qui exhale vers la Grand-case un roussi-caramel inconnu jusqu'alors. D'autres cas tracassants qui laissent tout le monde désarmé sans que l'on sache pourquoi. Des rats trotteurs en plein soleil à l'autour des cases. Des Bêtes-longues fluant des touffes de cannes-à-sucre, crocs giclant d'inquiétude vers le ciel. Des crabes-mantous surgis des boueuses dormances pour se suspendre en grappes aux branches des orangers. Et des fruits-à-pain verts qui tombent hors raison, en défonçant le sol et sans s'ouvrir eux-mêmes. Et des oiseaux gan-gan piaillant de grandes démonstrations au-dessus de sources mortes tout soudain sanglotantes. Le travail aux champs (fin de la coupe des cannes) se fait difficile. Les commandeurs, hélant plus que d'habitude, se prennent d'envie d'utiliser les fouets. Les esclaves craignent d'investir les parcelles où tant de Bêtes-longues s'agitent en folie. Dans les traces, ils marchent sur des nappes de crabes rouges nimbés d'un senti de soufre et de menthe. Et plus d'un s'effraye de se trouver sur la langue le vieux-goût de l'absinthe.

Le Maître-béké a suspendu sa tournée : son cheval d'Arabie se cabre à chaque pas au-dessus d'invisibles grouillements. Pour tenter de comprendre ce qui se produit, il doit quitter la selle et se piéter à travers champs, puis entre les bâtiments de l'Habitation. Il va, yeux ouverts fixes et grands, sans un mot à la bouche. Sa méchanceté a tellement ordonné le monde autour de lui, que ce dérèglement l'échoue dans une stupeur tout indignée. Rien n'est modifié mais tout loche de travers ; sorte de décomposition chimique, impalpable mais majeure.

Une poussière s'est levée à la faveur d'un alizé. Elle enrobe le monde d'une soucieuse grisaille que les fers du soleil accentuent. Le Maître-béké va, vire, scrute autour de lui, ne lançant d'injonction à personne, juste veilleur-attentif. Il cherche la cause essentielle de ce déréglage général ; le germe battant de ce désastre intangible ; mais ne découvre rien qui puisse relier ces petits hic bizarres.

Alors, il s'assied sur une marche de la bagasserie. Son cheval, piaffant à ses côtés, courbe un cou nerveux vers le sol. Le Maître regarde de temps en temps vers les hauteurs où sa Grand-case se découpe contre le ciel, et voit les silhouettes apeurées de sa femme, de ses enfants et des nègres de case. Blottis les uns contre les autres, ils scrutent le domaine identique en ses formes mais comme tout à coup incendié du profond. Le Maître-béké demeure ainsi durant un paquet d'heures, méditant sur une charge des déveines. Que sont devenues ces protections plantées aux quatre coins de ses terres ? La tête de coq scellée sous le palier de sa maison a-t-elle perdu ses forces de bouclier ? Il est encore à calculer comme cela, quand une clairvoyante négresse s'avance, pour lui dire dans l'embellie de ses dents :

« C'est un tel qui a échappé son corps, oui. »

L'esclave vieil homme (docile d'entre les dociles) a marronné.

Le Maître-béké prend soudain conscience que le molosse hurle depuis déjà longtemps, et que cet hurlement, à lui seul, défolmante la matière de son monde.

2. *Vivant*

Le fugitif — l'Africain voué aux îles délétères — ne reconnaissait pas même le goût de la nuit. Cette nuit inconnue était moins dense, plus nue, elle affolait. Loin en arrière il entendait les chiens, mais déjà les acacias l'avaient ravi du monde des chasseurs ; et ainsi entrait-il, homme de grande terre, dans une autre histoire : où sans qu'il le sût, les temps recommençaient pour lui.

Principe des os,
minéral et vivant,
opaque mais organisateur.

Toucher,
feuillet II

Le molosse était un monstre. Il avait voyagé
lui aussi en bateau, durant des semaines d'une
sorte d'épouvante. Lui aussi avait éprouvé ce
gouffre du voyage en vaisseau négrier. Les chairs
nègres, entassées dans la cale, enveloppaient cet
enfer à voilures d'une auréole que sa fureur percevait et que les requins poursuivaient à travers
l'océan. À l'instar de tous ceux qui s'en venaient
aux îles, le molosse avait subi le roulis continuel
de la mer, ses échos insondables, son avalement
du temps, sa déconstruction irrémédiable des
espaces intimes, la lente dérade des mémoires
qu'elle engendrait. La mer qui pénétrait les
chairs pour en contrarier l'âme, ou la décompo-
ser, et qui installait à la place le petit rythme des
survies nauséeuses, des petites morts, des amères

33

habitudes, du martyre des carcasses qui doivent s'accommoder de dispersantes cadences. Le molosse avait connu de même les sorties à l'air libre (hissé tôt sur le pont au moyen d'une chaîne étrangleuse) où, sous l'aiguillon du fouet, on le forçait, tels les nègres captifs, à tournoyer pour se huiler les muscles et humer un peu d'iode des grands larges. Et le vent lui-même, éblouissant comme une ruée d'ombre, venait parachever la dévastation qu'avait commise la mer au fond des nuits de l'entrepont. Il allait chancelant, aussi mou qu'une méduse. Puis on le renvoyait dans l'angle mort d'une arrière coursive, cette tombe (sa cage) qui fut une cale.

Le regard du chien ressemblait à celui des marins. Et pire : les loques qui montaient de la cale — moins accablées par leurs chaînes que par leur âme brisée, et qui parfois se jetaient par-dessus bord dans la gueule des requins, ou qui soudain, dans un arc du corps, s'avalaient la langue ; ou encore tombaient à rage perdue contre une baïonnette qui protégeait la gorge d'un capitaine — avaient le même regard. Seul le vaisseau lui-même, par son rythme de vagues, la majesté claquante des hautes voilures, semblait vivre et faire vivre ces captifs. Le molosse était un monstre car il avait connu cette effondrée-là.

Il provenait d'on ne sait quelle géhenne d'Europe. On ignore aussi la teinte exacte de son pelage. Ce dernier changeait sans doute aléliron. Les listes de chargement du bateau l'avaient signalé blanc avec une tache noire entre les yeux. Le marin qui lui tendait de l'eau et du cuir salé entre les grilles de l'entrepont, le décrivait noir avec une tache blanche sur le museau. Sur l'Habitation, on le vit noir, luisant jusqu'au bleu lunaire, avec quelques taches blanches qui évoluaient peut-être. Mais (tandis qu'il leur rachait les tendons de la jambe) les esclaves qu'il avait rattrapés l'avaient vu parfois rouge, ou bleu-vert, ou encore habité des vigueurs orangées d'un cœur de flamme vivant. Quant à ses yeux, vaut mieux n'en pas parler.

Le Maître-béké l'avait acheté sans discuter du prix. Sans doute est-ce lui qui l'avait fait venir directement d'Europe. Il avait placé l'animal à ses côtés, sur la carriole. Les deux jeunes esclaves, la négritte et les poteries d'Aubagne achetés ce jour-là s'étaient vus entasser au fond d'un cabrouet-mulet que l'esclave vieil homme conduisait. C'est lui qui escortait le Maître aux arrivages du port de la grande ville où se tenaient les marchés négriers. Ces arrivées s'étaient raréfiées depuis l'interdiction de la Traite, mais il fut un temps où le Maître s'y transporta souvent, même pas forcément pour acheter quoi que ce soit. Il goûtait l'atmosphère de ces torpides bateaux. Leurs équipages (des fauves) avaient connu les terres d'au-delà du connu, et vendaient derrière les abattoirs des choses mélancoliques et de vieux portulans. Leurs débarquements remplissaient les tavernes de déparlers poisseux sur des vaisseaux fantômes, des femmes à cheveux d'algue, des révolutions insensées qui invalidaient le sang bleu des rois, ou de peuples sans nom qui se filetaient la lèvre avec de la paille d'or et buvaient du sang clair en hommage au soleil.

Parfois, ces navires entraient dans le port en une ivresse errante. On découvrait alors leur cargaison ferrée, asséchée par la faim et les fièvres à frappe jaune. L'entrepont et les haubans étaient déserts. Les voiles orphelines devenaient de grandes feuilles assoiffées, et les filins se dénouaient à dire des cordes de pendus. L'équipage avait sombré dans la boucle d'un mystère. Les tonneaux d'huile, de viande salée ou d'eau potable grouillaient des mêmes vers, lesquels semblaient attendre (ou annoncer) une fin des temps. De chaque goupille du pont, de petites flammes naissaient pour s'évanouir là-même dans un relent de basilic. Nul ne voulait acquérir ces épaves enchaînées que l'on sortait des soutes. Sans même les nourrir, le Gouverneur affrétait un vapeur militaire pour les acheminer en quelque coin sans retour de la côte du Brésil.

C'était, pour l'esclave vieil homme, un moment de déroute : voir débarquer ces hommes qui lui ressemblaient tant. Tous mal revenus de la plus longue des morts. L'huile qui maquillait leur peau malade se mêlait à leur sueur et aux restes d'angoisses. Leurs cris, familiers des extrêmes, leur avaient distribué aux commissures des lèvres d'irrémédiables écumes à relent d'ail. Ils transportaient encore des odeurs du pays d'Avant, des rythmes ultimes, des langues déjà désespérées. L'esclave vieil homme les sentait incantés de ces dieux dont il avait gardé des traces sans alphabets. Et le bateau lui aussi l'émouvait. Il ne savait plus s'il était né sur l'Habitation ou s'il avait connu cette traversée en cale, mais chaque balancement d'un navire négrier dans les eaux calmes d'une rade, débusquait en lui un roulis primordial. Des claquements simultanés, d'ombres boueuses et de lumières liquides, peuplaient les fonds de son esprit soûlé par des algues visqueuses et des hautes-tailles marines.

Après le Maître, l'esclave vieil homme fut le premier à voir le molosse. L'esclave vieil homme et le molosse s'étaient regardés. Le molosse avait tout là-même aboyé. Et même plus qu'aboyé, il s'était débondé en enragée terrible, baveuse, avec le poil catastrophé telle une crinière de lion. Le Maître-béké s'était montré ravi d'une telle réaction, certain que la chair noire lui ouvrait l'appétit. Il l'avait flatté avec un chicot de viande vive, un peu d'eau particulière cueillie lors d'un orage, et le molosse s'était calmé jusqu'à ne plus jamais aboyer contre quiconque, ni contre l'esclave vieil homme. Lequel, devant l'énigmatique fureur du chien, était resté comme d'habitude : plus opaque et dense qu'un cœur de bois-bombe brûlé sept fois et rebrûlé autant.

Ils s'étaient ensuite revus chaque jour car le Maître avait mis l'animal dans un chenil très vaste, grillagé des quatre bords, entre la Grand-case et les immeubles de la sucrerie. Tout le monde y passait à un moment de la journée ou de la semaine. Le monstre se trouvait là, à ce nœud stratégique, ce quatre-chemins incontournable. Étalé sur un flanc frémissant. Somnolent persécuté, ou nerveux tracassé dans les limites de son grillage.

Le Maître-béké possédait d'autres petits chiens créoles. Six ou sept. Ils montaient la garde autour de la Grand-case. Ils aboyaient à chaque passage de nègres, d'oiseaux malfini, de mangoustes ou Bêtes-longues. Ils étaient d'une dent barbare car ils étaient maintenus tout du long attachés. Quand ils fuyaient en meute, leur distraction était de mordre un des nègres de maison, ou de racher la jambe d'une vieille esclave échouée aux abords des chaudières où ils lapaient les croûtes versicolores de la mélasse. Pour cela, le Maître ne les grondait jamais. Les esclaves détestaient ces chiens d'une manière qu'on ne peut plus envisager. Les méprisaient aussi. Ils leur envoyaient de vieux poisons capables de les raidir d'un coup et d'empêcher leur chair de pourrir dans les fosses chaulées (les grandes pluies exhumaient toujours leurs momies damnées en quelque coin du domaine). Mais leur nombre ne s'épuisait jamais : soucieux de peupler son entour de cette alarme canine, le Maître en rachetait sans cesse aux mains d'un mulâtre élégant qui n'avait plus d'honneur.

Le jour de l'arrivée du molosse dans l'Habitation, les chiens créoles avaient hurlé de loin. À mesure que la carriole s'était rapprochée, ils avaient plongé dans une rage inconnue de leur genre. Puis, la carriole ayant pénétré la grand-cour, le molosse ayant bondi par terre, les chiens s'étaient tus flap, pris soudain dans une paix-là malsaine qu'ils n'abandonneraient plus que rarement pas souvent, pour tel nègre défilé approchant la Grand-case, tel cyclone de salopeté rare ou telle tremblade de terre révélée d'avance à leurs sens hystériques.

Si les esclaves craignaient les chiens, ils étaient épouvantés par le molosse. Son corps massif comme un morceau de soufre, ses muscles noués comme des bouillons de lave, sa gueule sans baptême, le regard sans vision. Le plus épouvantable, c'était son silence. Pas d'aboiements. Pas de grognements, mais pas de calme ou de sérénité. Juste, au-dessus de son souffle suspendu, le regard scrutateur, aiguisé effilé coupé tranché, avec lequel il suivait les vivants qui longeaient son grillage. Quand un chien créole s'échappait, qu'il venait rôdailler aux abords de sa cage, le molosse ne se levait même pas. Le rôdeur se couchait face en l'air, gémissant, sa soumission offerte au seul remué des oreilles de ce monstre.

Le Maître-béké le nourrissait de manière étrange, surtout secrète. De la viande palpitante. Des os à la moelle enflammée. Des charnelleries sanguinolentes qu'il malaxait lui-même dans un crâne de guerrier caraïbe. On dit qu'il y broyait des guêpes, du piment, des têtes de colibris, des graisses de serpents, des poudres d'os d'hommes enragés, des crins de chabines folles, des cervelles de manman-balaou, et des os de bécunes-mères. Le molosse engloutissait cela avec moins d'appétit que de volonté sombre. En quelques mois, il retrouva cette force incroyable que le bateau lui avait épuisée. Une chair encore plus compactée. Des muscles déliés comme des câbles quand le Maître, au balancé d'une corde, l'emmenait courir durant des heures. Le Maître, du haut de l'alezan, gardait trot de galop pour simplement rester à sa hauteur. Et le cheval, bien indisposé d'avoir cela auprès de ses sabots, en perdait un restant de joie de vivre.

On se demandait à quoi pouvait servir ce monstre. On eut bientôt la réponse. Il y eut, comme presque tous les mois, un jeune nègre certain d'être plus malin que ses prédécesseurs, et qui reçut tout soudain *la décharge*. Je vais vous parler de la décharge. Les vieux esclaves connaissaient cela : c'était une mauvaise qualité de pulsion vomie d'un endroit oublié, une fièvre fondamentale, un sang caillé, un dé-sursaut pas-bon, une hélée vibrante qui vous déraillait raide. On allait désarticulé par une impétueuse présence en soi. La voix prenait un autre son. La démarche s'ourlait grotesque. Une vibrée religieuse vous tremblait les paupières et les joues. Et vos yeux portaient les marques de feu coutumières aux dragons réveillés.

La décharge vous prenait à n'importe quel moment. On l'évoquait pour expliquer ces attaques désespérées que subissaient les commandeurs. Ces mains esclaves qui fiap s'accrochaient à leur gorge. Cette rachée de coutelas portée malgré le pistolet avec lequel ils terrassaient sans aucune chance ces insensés. La décharge vous précipitait surtout dans les bois, en une fuite éperdue. Le Maître vous poursuivait alors du haut de son cheval d'Arabie et de sa meute de petits chiens criaillants. Il rattrapait toujours les fuyards, et rares étaient ceux que la décharge dissolvait dans l'ombre humide des très grands arbres. C'est le Maître qui l'affirmait. Il ne disait jamais « un tel s'est échappé ». Il disait « Un tel s'est évaporé dans les bois » — satisfait de les savoir victimes des zombis qu'il disait infester les bois-hauts interdits.

Donc, cette jeunesse d'esclave eut sa décharge. Et, plutôt que d'égorger un commandeur, il s'en alla, comme ça oui, en plein mitan du jour, abandonnant sa parcelle avec un cri interminable, et s'enfuyant vers les bois les plus proches. *Marronnage !...* Les commandeurs le poursuivirent durant une heure mais ne purent rattraper sa fumée. Ils alertèrent alors le Maître, au son d'une conque de lambi qui le fit accourir. Le Maître prit connaissance du récit de la fuite, plissa les yeux vers les hauteurs, écouta l'aphonie des grands arbres. Puis il eut un sourire (inattendu) que nul n'eut temps de questionner : le molosse, depuis les bâtiments à sucre, s'était mis à grogner. Pas à aboyer, à grogner quelque chose d'ammoniacal, d'insolublement méchant, et d'acide, qui révéla à tous quel serait son usage.

Le Maître chevaucha en direction du chenil grillagé, et sortit l'animal au bout de la grosse corde. Le molosse avait cessé de grogner. Il était devenu attentif, le regard fixe sur les hauteurs avec l'air de suivre du mufle un mouvement invisible. Il ne tirait pas sur la corde ni ne cherchait à presser le pas. Dans la case de l'esclave en fuite, le Maître lui fit renifler quelques hardes de la couche. Puis, ensemble, ils prirent la direction des Grands-bois silencieux, feuillus de brumes sessiles et de songes perdus. Les esclaves suivaient des yeux l'équipage effrayant. Le Maître, le cheval, le molosse : un accord vieux d'une éternité semblait les associer. Les mélancombiner. Ils allaient d'un même mouvement, d'une même résolution fatale. Rien ne pouvait les dévier de cette charge unanime.

Le Maître lâcha le molosse dès les premiers raziés. L'animal y plongea, sans aboyer, sans grogner. L'on entendit juste l'énergie incroyable de ses pattes qui martelaient l'humus et que le Maître suivait tranquille, sa pétarde à l'épaule. Après ? Pas vraiment d'après. On les avait vus redévirer très vite. Le jeune nègre en bobo, traîné au bout de la corde, le molosse attentif pesant à ses côtés. On avait vu de près ce que lui avaient fait les dents de l'animal. Et le Maître avait voulu que chacun l'observât avant d'y mettre sa pimentade. Le molosse l'avait lacéré mieux que le plus malfaisant des fouets et que la planche-à-clous la plus hostile. Le jeune esclave en conserva une démarche de vieillard, une voix bègue et le regard ruiné.

Le molosse avait repris place dans le chenil, sans plus d'énervement, redevenu attentif et placide. L'esclave vieil homme l'apercevait ainsi chaque jour mais ne s'arrêtait jamais devant lui comme le faisait en inconscience la marmaille des esclaves. Car chacun, même le plus fol, évitait de lui faire « prendre » son odeur. Avec elle en narines, il pouvait vous sculpter dans ses rêves, goûter avant l'heure aux splendeurs de votre sang, et surtout vous rattraper à l'aise en cas de fuite sous la décharge. Donc, on évitait de passer là, et les enfants, au fil des traques, abandonnèrent l'idée qu'il était un spectacle. Mais personne ne s'aperçut que le vieil homme esclave, lui, y passait tout du long. Et-cætera de fois par jour, sans zieuter le molosse. Sans prendre de sa hauteur. Parfois même, il passait quand le Maître ouvrait la cage pour lui porter la chair et les matières sanglantes, et lui sourire, le caresser.

Nul ne vit non plus que face à cet esclave vieux-bougre, le molosse se faisait encore plus attentif, un tac plus à l'aguet, une maille mieux à l'affût, en un raidi sans faille de sa carcasse de fer. En créole on crie cela : *véyatif o fandan*.

Le molosse exprimait la cruauté du Maître et de cette plantation. Il était maladivement vivant. Quand le vieil homme esclave longeait son grillage, il le suivait d'un œil de feu. De temps en temps, le vieux-bougre lui jetait un regard, quelque chose de glissé, et de terne. Et leurs yeux se croisaient sur sept nièmes de secondes. L'affrontement dura ainsi des mois durant. Le molosse ramena des bois six ou sept nègres marrons. Il égorgea une Congo qui s'était prise d'une décharge. Le temps passant, il semblait encore plus regrettable. Et si les décharges demeurèrent régulières (agressions sans manman, suicides ou démences volcaniques de certains), il fut de moins en moins fréquent de voir quiconque s'enfuir en direction des bois. Le molosse montait en face des âmes captives une garde effroyable. C'est dire si l'on fut ébahi de voir que le vieil homme l'avait quand même défié.

Mais comment donc cela avait été possible, pour lui si vieux et si près de la mort ? Je vais, sans craindre mensonges et vérités, vous raconter

tout ce que j'en sais. Mais ce n'est pas grand-
chose.

*

Le vieil homme n'a jamais participé aux fêtes
d'esclaves ni aux contes de veillées durant lesquels les paroleurs expliquent comment vaincre
le molosse. Il ne danse pas, ne parle pas, ne réa-
git pas aux sonnailles du tambour. Il paraît
inerte mais parvient à décrypter des choses indé-
codables. Sa présence renforce la frappe des
tambouyés. Elle leur porte d'obscurs balans qui
les comblent d'allégresse. Et lui s'en abreuve.
Les danseurs — sans même qu'ils s'en rendent
compte — trouvent en sa présence des bans de
chair insoupçonnés. Les chants aussi l'environnent comme ils environnent les autres. Mais les
vieux chanteurs qui vibrent d'automatiques
mémoires (belles pourvoyeuses de mots sans
nom) cultivent dans l'insu le bonheur qu'il soit
là et qu'il les écoute. Tous, sans se le formuler,
le soupçonnent d'être un soleil de souvenirs
auquel ils tentent de s'adresser. Et lui, impavide,
reçoit ce don. Il joue du tambour sans en jouer.
Il s'anime dans la danse en restant immobile. Il
peuple son âme de choses éparses, déjetées,
reconstruites, qui lui tissent une miroitante
mémoire. Souvent, de nuit, cette mémoire l'ac-
cable d'insomnie.

Le Papa-conteur de l'Habitation était un bougre assez insignifiant (un nègre-guinée à petits yeux, au corps-planche et au dos un peu courbe). Il se transformait en prenant la parole (grands yeux, corps épais et dos à belle équerre). Il aspirait la vie autour de lui pour sustenter son verbe. Et de ce verbe, il éveillait la vie. Il parolait et faisait rire. Et le rire déployait les poitrines, les amplifiait. Les haines, les désirs, les cris perdus et les silences de tous s'exprimaient par sa bouche. Quand le Maître débarquait tout soudain, flanqué d'un commandeur, et qu'il s'asseyait bienveillant aux abords du cercle, avec un galoon de rhum en guise de friandise, et qu'il se mettait à répondre aux Krik-Krak, le Papa-conteur ne troublait pas son verbe. Il poursuivait une parole identique où circulaient des choses que bien peu d'existences pouvaient expertiser. Mais le vieil homme esclave se nourrit de cela. Il débrouille l'obscure parole du conte, connaît haine, désir et peur, éprouve mille histoires venues d'Afrique, mille narrations ramenées des oubliés amérindiens, et du Maître lui-même, et du molosse bien sûr.

La parole du Papa-conteur l'emporte vers des confins étranges. Elle lui donne une chair dans la chair des autres, des souvenirs qui sont ceux de tous et qui les animent tous d'aphasiques lancinances. Le Maître ne peut pas le voir, mais il y a dans le vieil homme tant de bouleversantes présences, qu'il doit (comme les autres esclaves) augmenter l'inertie de sa peau, le désarmé de ses gestes, le rythme de son cœur, le dessin des traits de sa figure. Il doit *aller* avec ces forces en lui, déréglées hors-mesure, qui ne lui expliquent rien de lui-même, ni d'une si vaste vie dans cette mort si étroite.

La nuit, insomniaque échoué au mitan de lui-même, il affronte des béances sans principe, des densités étouffantes, des tempos accolés selon des lois brouillonnes qui ruent dans l'incertain. Des mondes se meurent au fond de lui, et ces agonies ne lui offrent aucun répit, rien qu'un emmêlement que seuls la danse, les tambours, la parole du Conteur (allant incomprenable) peuvent apaiser. C'est pourquoi on le voit aussi cataleptique dans ces veillées, savourant ce baume étalé sur cette blesse qui se cherche un sens. La parole du Conteur ne lui parvient pas en parole, elle charrie trop de langues, trop de cris, trop de silences ; elle demeure tel un chant génésique au-dessus de son ventre. La gorge resserrée sur quelques impossibles, sans participer aux appels du Conteur, il lui *lance sa présence* comme une main silencieuse. Il lui offre son esprit, des spectres de souvenances, des douleurs prophétiques qui chatoient dans chaque bout de sa

chair ; sa chair, cette virulence maintenue inerte
à laquelle le Conteur sait toujours s'abreuver.

La décharge l'avait flagellé à maintes reprises.
Nul n'en avait rien su. Certains ne l'éprouvaient
qu'une fois dans leur vie, mais lui l'avait subie
presque chaque jour. Jour après jour, et plus
souvent quand elle s'épuisait chez les autres. La
première fois, elle l'avait tordu sur le sol de sa
case, en pleine nuit, avec l'envie irrépressible de
hurler-anmoué, de dé-courir, de saisir-déraidir,
d'étrangler quelque chose. Il s'était calmé en
mangeant de la terre et en se raclant le front
contre la paroi. Le frottement avait dégagé une
chaleur vibratoire qui lui avait douci l'esprit. Les
autres fois, ce fut de jour, dans les champs, dans
les charrois de sacs, sur le port, sur les routes
quand il servait de cocher, puis dans la graisse
des chaudières où sa vie s'épuisait. Et, à chaque
fois, son corps devenait une pierre brûlante, un
immense ouélélé rétif aux décantations. Il avait
eu envie de danser, de bouler du tambour, de
brailler ces sons incomprenables qui lui ha-
chaient la tête ; mais, à chaque fois, il s'était
retenu, nouant ses gestes et ses actes et ses émotions à dire des lianes autour d'un corps
dément. Ainsi, il est devenu aussi placide qu'une
eau de marigot. Plus immobile qu'un chapeau-
d'eau. Il lui faut vivre en inerte pour contrôler
ses volées en décharges. Pas de geste. Pas de

mots inutiles. Pas de hausses des sourcils, de ton levé. Rien que la maîtrise impeccable du mouvement, le murmure de l'esprit et des gestes, la danse du sang réduite au minimum, une éruption qui n'est répertoriée que dans l'immobilité des morts les plus terribles ou des matières les plus inertes. C'est sa seule manière de vivre et d'être — comme nul ne le sait — catastrophiquement vivant.

Il retrouve dans le molosse la catastrophe qui l'habite. Une fureur sans pupilles, qui rue de loin. Ce chaos intérieur charrie des choses qui ne lui sont pas intimes. Il paraît possédé par d'autres présences que la sienne, mais son moi, son être lui-même, il ne le trouve nulle part, aucune vertébrale de mémoire, aucun paradigme constructeur, pièce nervure d'un temps où il a été quelque chose de distinct. Rien que ce bouillonnement de violences, de dégoûts, de désirs, d'impossibles : ce magma qui s'exalte dans l'Habitation et qui le constitue au plus vital de son nombril. Et le molosse est aussi comme cela. Mais dans l'impressionnante férocité de l'animal, cette catastrophe a pris convergence : elle s'est transformée en une foi aveugle capable de maîtriser ce trouble né du bateau.

Le vieil homme esclave ne se souvient pas du bateau, mais il est pour ainsi dire resté dans la cale du bateau. Sa tête s'est peuplée de cette haute misère. Il a le goût de la mer sur les lèvres. Il entend même en plein jour le museau dramatique des requins contre la coque. Il a aussi le souvenir des voiles, des barres, des cordages, comme s'il avait été de l'équipage, et cela se mêle à des visions du pays d'Avant, et même plus que des visions : des femmes, des êtres, des choses, des beautés, des laideurs, qui frétillent en lui, qui sont lui, et qui se mêlent aux chaos déclarés. Le molosse est semblable, mais il dispose d'une masse d'instincts qui l'illusionne d'un sens à tout cela. Et ce sens s'est mêlé au goût des charnelleries sanglantes que le Maître lui inculque comme principe d'existence. Il est l'âme désemparée du Maître. Il est le double souffrant de l'esclave.

Notre bougre va et vire autour du chien pour ces raisons obscures. Lui, confronté aux chaos intérieurs, se voit dériver vers l'animal. Il n'a pas besoin de le regarder, le molosse vit en lui. Son air de mort vivant n'a jamais abusé le molosse. Le monstre y perçoit sans doute un charroi de possibles. Il se voit relié à ce vieil homme esclave d'où n'émane aucune onde, rien que la densité brute d'une matière insondable, gorgée de moiteurs et de soleils bridés. La cruelle vigilance du molosse les perçoit confus. À chaque approche, l'esclave vieil homme sent le trouble le chavirer, et le chaos le submerger. Au plus près du grillage, il livre bataille aux forces qui l'habitent. Elles s'éveillent, s'aimantent, le dévastent bien plus encore. *Décharges et charges !*

Il avait vu la bête s'élancer sur la piste des fuyards. L'avait vue revenir. Il avait vu l'effroi qu'elle suscitait dans la veille des esclaves, et combien sa seule présence dénudait l'énergie de leurs danses. Il avait vu comment le Conteur s'était mis à nommer l'animal dans des amplitudes folles. Ce molosse, disait-il, était veilleur des morts et des enfers. Il lui donnait des corps d'oiseaux à poil, de chevaux à plumes, de buffles à une corne, d'hommes-crapauladres sans voix ou de fleur-carnivore. Sa chair, maçonnée d'eau-mère et de lune blessée, était gardienne des portes précieuses. Il disait que le vaincre ouvrait à des félicités pas vraiment dénommées. Il le décrivait en voyages souterrains, flanqué de soleils cracheurs d'ombres. Parfois, il le nommait geôlier d'un essaim de lueurs fluides comme des larmes de vierge. Il le disait paré de palmes au bord d'inconcevables tombes où bourgeonnaient des renaissances. Il le décrivait mangeant des pas-vivants que des vieillards lui débitaient selon des phases astrales. Il le disait capable de plonger l'œil dans l'œil vitreux des trépassés et d'y réveiller neuf fois trois fois sept âmes. Il le voyait guider des femmes enceintes sur les ponts d'un destin, et les mener à terme. Il le plaçait toujours à des charnières, des sources-frontières, des passages et des abîmes, des traverses et boyaux. Il le voyait vêtu de peaux de léopard, étendu au-dessus de son maître, offrant ses devinances à ceux qui avalaient sa chair. Il le voyait susciter des mots que les prophètes seuls s'exerçaient à nommer. Il le voyait agrippé aux épaules graves des mystes et comblant leurs liturgies d'une sapience cruelle. Il le voyait avalé par des goules, des ogres, des chimères grotesques jusqu'à se transformer en une clarté très pure, la plus enviable qui soit. Le vieil homme esclave écoutait tous ces contes sans entendre ; comprenait sans comprendre. Il n'était accordé qu'à la rumeur que cela nouait en lui.

Dès l'arrivée de l'animal, les décharges se font terribles. Lui qui s'est cru maître de ce chaos se voit submergé. Il craint désormais les décharges. Craint qu'elles ne l'emportent en gestes misérables contre la gâchette des commandeurs ou le fusil du Maître. Craint de ne plus être lui-même et de surgir aux yeux de tous comme un nègre marronneur qui n'aurait pas osé. Il a beau se faire matière aveugle à l'approche du chien, le chien réveille son tumulte dans des extrêmes qui l'échouent hébété. C'est sans doute ainsi qu'il eut le sentiment de la mort : la matière de son âme s'agitant, le chaos cherchant son cri, et son cri sa parole, et sa parole son dire. Il décide donc de s'en aller, non pas de marronner, mais *d'aller.*

Donc, il ne prépare rien. Ni sel, ni huile, ni eau, ni bi de chou bouilli. Il n'a aucune rumination, aucun œil torve en direction des bois. Il est encore plus immobile, placide au dernier bout. Ses gestes autour des machines se fluidifient à mesure que le chaos se raidit en lui. Cette force irrépressible — ce jour-là — le foudroie contre une chaudière. Sa peau touche la plaque chaude. Un grésillement. Il croit perdre la tête sous un autant de douleurs débondées de partout. Mais sa vie de maîtrise reprend le dessus. Sa peau en émerge intacte. Il voit trouble, et dans ce trouble, il distingue des paysages qui lui brouillent les yeux. Il voit des coqs de mercure qui célèbrent des nuits évangéliques et qui muent en serpents avant de se dissoudre.
Il se sait prêt.
Il ne sait pas à quoi.

Cette fois, quand il approche du grillage, le molosse se lève. Le vieil homme esclave s'arrête. Pour la première fois depuis tant d'années, il regarde le monstre. Ce dernier se rapproche avec lenteur. Regard fixe. Mesureur. Oreille alarmée. Gueule légèrement mousseuse. Immobile face au vieil homme esclave qui le regarde encore plus immobile. L'esclave vieil homme lui fait un geste dont il ignore la signification, un mouvement imperceptible, que nul ne voit mais que le molosse suit de ses pupilles glacées.

Durant la nuit suivante, l'esclave vieil homme ressent non pas une décharge mais une déflagration. Son corps devient une proie convulsive. Une chaleur noie ses membres. Chaque objet de sa case suinte d'un sang tout enflammé, et la terre cirée du sol s'enflamme elle aussi. Il se voit environné de lueurs qui inscrivent dans l'air de minuscules orbes. Il combat ces cauchemars. On l'entend (qui l'entend?) gémir. Puis râler comme de fièvre, mais nul ne s'en inquiète car les souffrances n'émeuvent plus personne. Avant l'aube — quand une lueur médicinale s'apprête à lever de terre pour prophétiser un soleil innocent — l'esclave vieil homme se redresse. Il met sa livrée de toile. Il pose son vieux chapeau-bakoua à l'aplomb de son crâne. Il empoigne son bâton, et sort tranquille, le pas vibrant d'une sainte énergie. Il traverse les cases, les pièces de cannes-à-sucre où les Bêtes-à-feu le regardent passer. Quand il atteint les premiers arbres, le molosse se dresse, attentif. Bien que déjà très loin, le vieil homme esclave a un frisson dans le dos. Il se retourne vers cette Habitation où il a usé son existence, il regarde les bâtiments lointains, la cheminée des sucreries aux torches si familières, il entend une dernière fois le bruit des machines tombées veuves. Le frisson disparaît à hauteur de sa nuque. Alors, l'esclave vieil homme plonge dans les hauts-bois. La hurlade du molosse se met à défaire le domaine, provoquant les mille-douze petits cirques étranges dont narration fut faite, et en face desquels la science esclavagiste demeura débandée.

3. Eaux

La barrique éclata, Marie Celat y regarda le fond de mer. Il n'était là aucune poussée d'argiles ni de terres noires, seulement les mornes de basalte, semés de boulets verdis, et ces traces que la mémoire rongeait à vif : la marque effilochée dans l'écorce, les vertèbres de la bête longue et la poudre à canon pour bourrer le nègre marron. Marie Celat vit au travers de la barrique une dévirée de ciel qui s'enlevait en forêt. Alors elle monta au plus haut de ce Morne que pas un n'a pu descendre. Celui qui fait combat avec la bête l'attendait.

Le vieil homme courut. Il perdit très vite son chapeau, son bâton. Il courut. Courut sans aucune hâte. Un pas régulier qui le mena de manière sûre entre les zayonn. Il envoya son corps par-dessus les souches défuntes, terrassa du talon les branches agenouillées, dévala de recluses ravines vouées à de purs silences. Autour de lui, tout frissonna informe, noir de vulve, opacité charnelle, odeurs d'éternité lasse et de vie affamée. Les bas-bois étaient encore la proie d'une nuit millénaire. On eût dit un cocon de salive aspirante. Un autre monde. Un autre réel. Le vieil homme aurait pu courir avec les yeux fermés : rien ne pouvait l'orienter. Il se cogna quelquefois sur des ramuscules demeurés invisibles — cinglés les chevilles, les orteils, le visage ! Il dut courir en pliant l'avant-bras afin de protéger l'ouvert de son regard. Puis, à mesure, les arbres se rapprochèrent dans le plus dense des pactes. Les ramures se nouèrent aux racines. Les raziés se rendirent prodigues de piquants agaçants. Les Grands-bois étaient là. Sa course se ralentit. Quelquefois, il dut ramper. L'enveloppe végétale se plaqua contre lui, élastique et suceuse. Il dut assurer avec ses coudes sanglants l'espace de chaque pas. Cela monta. Cela descendit. Cela monta-descendre. Parfois, le sol disparut. Il s'effondra alors dans des nappées d'eau froide glougloutantes d'émotion.

Le vieil homme se sentit proche du ciel. Les étoiles diffusèrent une lueur béate qui sculpta les fougères. Mais le noir était d'un intense tel que cette pâleur lui parvint en une poudre astrale : elle décomposa les formes. Souvent, il redescendit, il eut l'impression de descendre sans fin, d'atteindre même le fondoc de la terre. Il s'attendit alors aux vomissements des laves ou des feux que l'on dit naître dans la foufoune des femmes-zombis. Les rachées de son cœur pulsèrent en lui des braises liquides ; elles lui brisèrent le corps pour rejoindre le ciel. Ces incandescences ameutèrent de terreuses fumées éperdues dans ses os. Les feuilles, les racines et les troncs prirent l'odeur des cendres parées de celles du maïs vert et des bourgeons naissants.

L'eau, invisible, dégoulina en douche de certaines grandes feuilles ; d'autres fois, elle se mua en une sueur qui lui graissa la peau ; il parut alors couvert d'écailles. Une énergie incontrôlable l'agita. Il n'eut ni chaud ni froid. Il ne ressentit pas la raide léchée de l'eau, ni ces piquants qui lui soulevèrent les ongles, ou même ces branches aiguës qui, voulant l'éventrer, firent belle charpie de sa livrée.

Rien ne parut pouvoir éteindre son énergie. Il alla comme un vaisseau au gré d'une matrice liquide. À force de monter puis de descendre, d'avoir sensation d'altitude après être descendu, il ne sut même plus où se trouvait le ciel, où palpitait la terre ; où se situait sa gauche, vers où aller à droite. Ce n'était plus l'absence de repères du début, mais une désorientation profonde. Il alla avec l'impression de rester immobile. Parfois, il éprouva le sentiment de rebrousser chemin alors même qu'il était persuadé d'avancer au profond des Grands-bois.

Au départ, il eut la cacarelle. Il s'attendit à voir surgir les monstres dont s'effrayaient les contes : les Ti-sapoti, les soukouyans aux formes de feu, les femmes à tête-chien, les volantes écorchées à parfum de phosphore, la misère sans baptême des coquemares, et les persécuteurs zombis persécutés. Mais il ne vit rien de tout cela. Il ne vit rien du tout. Que ce noir tragique. Ces gifles végétales. Cette énergie qui l'habitait comme une étrangère. Plus il imagina les monstres, plus ses yeux s'écarquillèrent, plus son esprit s'ouvrit, et plus le noir renforça ses manœuvres. Sa peau devint sensible aux souffles âcres des vents abîmés sous les feuilles, au moelleux des rosées qui s'accrochèrent à lui, bienheureuses d'être visitées après siècles-temps de solitude. Sa peau devint poreuse, puis elle devint poudreuse, puis elle dut s'en aller car il crut se défaire en une effervescence au mitan de laquelle ses os seulement le soutenaient. À mesure, les Grands-bois l'enveloppèrent serré. Il dut s'immobiliser. L'immobilité fut, là, une chute en abîme et une élévation. Elle lui fit connaître la nausée des momies et des ressuscités, le trouble des emmurés vivants et l'exquise amertume du coma des martyrs. Soudain, l'emprise se relâcha comme au débouché d'un berceau de clairière. Alors, il courut à toutes forces, enjambant au hasard des troncs imaginaires, s'écartant au hasard, se couchant au hasard, bondissant au hasard, avançant selon les lois d'une danse qui lui permirent, à son insu, d'éviter mille obstacles avant qu'une main végétale ne l'empoigne à nouveau. Il prit du temps à s'en rendre compte : une prescience magnétique lui permit d'être un tronc, une mousse, une branche, une source, un arbre. Il coula dedans leurs entrelacs. Il ne ressentit plus leurs chocs, ou les traversa telle une nuée de pollen. Il eut l'impression d'être une ombre, puis un souffle, puis un feu, puis une chair opaque qui lui restitua — brutale — la horde des sensations du monde.

Bientôt, il n'eut conscience de rien. Son corps ne se percevait plus. En poursuivant sa course, il se pichonna les membres, toucha à une blessure, amena à ses lèvres un peu de sang coulant, se rassura de le trouver goûteux. Cela ne suffit pas à le reconstituer. Il vécut la détresse des ruines qui furent de somptueuses cathédrales. Le Maître-béké affirmait que ceux qu'il n'avait pas su rattraper s'étaient dissous dans les Grands-bois. Lui eut le sentiment d'être devenu une eau dans l'eau des feuilles patientes. Il n'eut aucune peur, pièce pensée, rien, que la ruée immobile de cette masse sombre qui l'habitait et qui l'environnait. Alors, il s'efforça d'aller plus vite, sauter haut, courir raide, voler loin, rompre l'indistinction à force de vitesse. Cela parut n'avoir aucun effet. Il crut crever, finir de battre-misère, et s'attendit à émerger des colles froides d'un cauchemar, mais la palpation de son visage le démentit : il était bien éveillé, bien réveillé. Alors il grommela le mot éveil, éveil léveil, écarquilla les yeux sans craindre de se les voir défoncer par une branche. Éveil léveil. Il ne vit rien.

Ne sentit rien. Que ce mouvement aspirant immobile. Éveil léveil il craignit d'être mort, enterré par erreur dans un tonneau à clous, et de vieux réflexes surgirent. Il fut forcé de s'écouter lui-même en des zones inconnues, d'isoler le bruit de son cœur plus puissant que jamais. Il perçut le tournis de son sang qu'il avait ralenti durant sa vie entière. Il eut, dans un déchirement, la sensation de chaque bout de son corps, chaque organe inconnu, chaque fonction oubliée. Il perçut le circulant soleil qui les unissait et qui les agissait. La course avait propulsé ses chairs aux derniers derniers-bouts, et ses organes autrefois dissociés, allaient, réactionnés ensemble, dépassant toute détresse, pour le laisser pantelant d'innocence dans une opaque perception de lui-même jamais connue auparavant.

Plénitude. Cette perception qu'il eut de lui-même engloba l'ombre autour de lui. Il retrouva le sentiment de se déplacer, évita en pleine autorité les arbres, traversa les zayonn avec l'aisance et le bel air. Il n'eut pièce direction, ne poursuivit rien dans l'ombre désespérée. Craignant un retour à son point de départ, il s'imagina un poinçon de lumière émergé en lui-même et vers lequel il donna-descendre vite. Le point, immuable, l'illusionna d'une orientation dont la vertu première fut de le rassurer.

Il appréhenda autrement son entour. Le noir, inconsolable, lui divulgua la texture de l'humus, les âges enchevêtrés, les eaux reines, la force pensive des troncs, l'allant d'une sève au secret des présences végétales. Cette indistinction s'alimenta d'une profusion portée d'un seul élan. Cet élan désormais le soutint.

Soudain, la lumière fut autre. Douloureuse. Le jour s'était levé. Des gluées luminescentes dévalèrent des hauts fûts. Une aurore brumeuse nimba les troncs et noya les raziés de laitance. Il eut une vision tortueuse, à dire ensanglantée, mais il ferma les yeux et courut avec plus d'énergie, traversant les obstacles telle une eau dévalante. Pas le temps de boire aux sources dans lesquelles son talon s'enfonça. Il n'en eut pas envie, l'eau sembla l'imprégner, immanente, l'abreuver en direct. De temps en temps, il entrouvrit les yeux et se vit cinglé par la lumière de plus en plus intense. Ses paupières le brûlèrent, il les garda serrées. Il évita ainsi de découvrir ces grands arbres inconnus autrement que dans l'alliance obscure devenue familière durant les premières heures. Il déchira un bout de sa livrée, et s'en fit un bandeau pour se couvrir les yeux. Sa course vers le point lumineux vrillé en lui-même se poursuivit ainsi. Intérieure. Totale.

Le point disparut quand il entendit un grognement brut lancé haut.

Lointain.

Pas une gueulée, mais une mâchée de gueule.

Le molosse était à sa poursuite.

Fini bat... C'est perdu ! songea-t-il.

Il accéléra sa course mais se sentit désemparé
par la perte de son point lumineux. Alors, il
inclina son esprit vers la terre. Il écouta pour
tout de bon le faux silence du sol, les grouillements d'herbes-champignons, le fouissement
des racines, les ahans denses des roches, le clair
des sources diffus comme des soupirs de cuivre.
Il écouta encore, désespéré, puis entendit enfin.
Des chocs. Des chocs sourds. Bidong. Bidong.
Bidong. Les chocs des pattes du monstre lancé à
sa poursuite. Ils avaient presque le même
rythme que son cœur. Alors, il accéléra pour
que le rythme de son cœur et celui des pattes de
l'animal n'en fassent qu'un, et que ce bruit
lancé à ses trousses, lui servît de repère pour
maintenir la distance. *Fini bat...,* rumina-t-il
encore.

4. Lunaire

Un seul déréglé mouvement de lianes, de figuiers-maudits, de bambous qui fatiguent, de mahoganis bruns, qui traînent le passé jusqu'au pont de l'Alma. Les acomas des hauts sèment encore sur la pente, à la rencontre des écumes et des brûlis, les maigres acomas d'en bas, leurs enfants, qui ne surprennent ni ne font peur. Ici ne lève pas un cri d'arbre comme un pleurer solitaire, mais voyez que grandit la houle de ces tas véhéments, où tu dois frayer la Trace.

Clarté-miroir des os,
nuit organique totale
de toute promesse du vivre.

Toucher,
feuillet IV

Le Maître n'a jamais vu cela. Il libère le molosse qui hurle. Du bout de la grosse corde, il le suit en bordure des grands arbres. Et là, dans les racines difformes, la dentelle des fougères, le monstre ne sait pas en quel bord s'élancer. *Le vieil homme a pris disparaître.* Le Maître lui-même, instruit des traces que laissent les fuyards, cherche un chiffonnage infime de la sylve millénaire. Rien. L'esclave vieil homme ne semble pas être passé par-là. Ni glissé par-ici. Le molosse et le Maître longent la lisière des grands arbres (leurs murmures presque humains les effleurent tels des souffles de vieillards) jusqu'à l'ouvert du jour. Le molosse avance mécanique, attentif, il renifle, file l'oreille, tend le cou et vibre de l'échine. Il paraît prendre son temps avant de s'élancer. Il trouve enfin la piste (un friselis aigre dans l'innocence des raziés vierges) mais ne bondit pas comme à l'accoutumée. D'un pas méfiant de tortue-molocoye, il entraîne le Maître dessous l'ombrage verdâtre. Ce dernier doit très vite descendre de cheval et continuer à pied. L'alezan demeure seul, feuillu, couvert d'ombres et de lianes, terrorisé par les murmures qu'aucun de ses instincts ne semble reconnaître.

Le molosse devient un reptile dans la brousse vénérable. Le Maître, lui, alourdi par ses mousquetons, doit se tracer un chemin au coutelas. La lame lui ouvre une trouée impérieuse mais il doit chiffonner de la main le voilage de mygales. Les longs rideaux de feuilles cèdent dessous la lame et reviennent l'éclabousser de sève. Il doit bientôt libérer le molosse, ramener la corde à l'entour de sa taille. L'animal s'aventure seul dessous la voûte sombre. Le Maître prête l'oreille à son bruissement feutré. Puis, il l'entend courir : le Maître veut le suivre de près, persuadé que l'esclave s'est englué dans un nœud de piquants ; mais il doit déchanter. Le molosse s'enfonce au profond sur un rythme de long cours. La piste l'emporte loin, au fondoc dépassé. Le Maître accélère encore, puis il se fatigue. Il garde à l'oreille le martèlement des pattes que les grands arbres répercutent dans des échos de conques. Il continue d'avancer seul, relié aux percussions de la course animale. Oala, le Maître se sent mal à l'aise, le bon-ange dérangé. Il prend conscience que les arbres murmurent pour de bon. Ils ne s'adressent pas à lui, mais ces murmures le concernent, tellement il les encaisse au clair même de son crâne. Sans se l'avouer ni vraiment le comprendre, le Maître croit ne plus pouvoir revenir en arrière. Il se croit obligé d'avancer à jamais dans cette pénombre infinissante. Le Maître se sent seul.

*

Le vieil homme retrouve une noirceur primordiale. Révélée par le bandeau, elle n'est pas comparable à celle du début de sa fuite. Cette nuit n'enveloppe pas les arbres ni ne coule du ciel. Il la sait déclenchée en lui-même à mesure qu'il court. Il en perçoit l'épaissi progressif, telle une structuration du balan de sa course. Elle semble lui permettre d'exister un peu plus au centre de lui-même. Sa peau cueille l'annonce du soleil à venir. Des variations infimes sollicitent son derme : l'aura terreuse des grands arbres ; l'aigu raidissant d'un tombant de clarté ; l'aisselle océane d'une ravine ; le silence momifié où des fougères exhalent l'odeur de la mort éternelle et de la vie têtue. À présent, il n'a pas la sensation de monter ou de descendre. Suspendu en lui-même, il parcourt une topographie sensitive qui épouse son corps. Ses yeux tournoient fous dessous leurs paupières et leur bandeau de toile. Il se rend attentif au bruit des pattes de l'animal, puis, à mesure de sa course, perd le contact avec lui. Ou plutôt, il le reçoit autrement, parmi les cadences qui ruent de ses talons. Les arbres semblent changer. Plus vieux sans doute. Autrement silencieux. Parfois réprobateurs. Le vieil homme se sent pénétrer dans la caverne des âges. Personne ne semble avoir jamais foulé ces lieux. Cette impression d'investir un sanctuaire se fait enivrante ; une autorité sans nombre s'impose au noir dans lequel (et avec lequel) il court. Il comprend la sensation qui le bouleverse tant : A-a, sé kouri an fondoc syèl... *Oh, c'est courir en plein ciel...,* songe-t-il en pleurant. Et il ouvre les bras en croix, chaque doigt racine avide, feuillage sensible.

Son esprit se déforme. Lentement. Il entrevoit des formes, troublées, troublantes, toutes menaçantes. Impossibles à identifier. Elles sortent du néant. Elles affluent vers lui. Il y a ci. Il y a ça. Il y en a de toutes qualités sans modèles et sans genres. Et-puis, il y a des regards sans paupières, dissipés en nuages où couvent des ondées amniotiques. Et-puis des gueules ouvertes comme des portails sans portes. Et-puis des mains gauches nattées sous l'emprise d'un

langage. Et-puis des bras-levés et des lèvres musi-
ciennes. Il y a neuf vagues chevelues de terreurs.
Et-puis des chairs souffrantes qu'il lui semble
connaître. Il se croit tombé-fou et tente d'arracher son bandeau. Mais la perspective de l'éclat
de l'aurore le retient, de même que l'idée d'ouvrir les yeux sur ces arbres inconnus. Il accélère
le pas, suscitant une bousculade des hallucinations. Des claquements-pak. Des roulis-roulés.
Des gémissements enfouis sous des paniers
d'osier et des agonies qui brisent des miroirs.
Des vitalités claires et des langueurs de comp-
tines douces. Des débattres de haine. Des pluies
de saignées et semences. Des coquilles brisées,
des hontes religieuses, combien d'émotions de
femme, de seins laiteux énormes, de désirs
troubles très peu virils, combien de péchés déli-
cieux, d'infectieuses innocences. Combien d'ef-
fondrements intimes jusqu'aux pires cœurs-
cassés. Tout cela l'effraye, sans lui être étranger.

Soudain, un ouélélé sombre ; c'est aussi un son
de langue créole ; c'est aussi la dérive d'un lot
de langues ; il reconnaît une voix ; le rythmé
d'un vocal de veillée ; un jeu de gorge aux mots
pas clairs dont il recueille l'exemplaire énergie ;
c'est d'un noir acéré, parfois éclairé, allant droit
d'une vaillance pas croyable. Cela braille en lui
un commandement vital. Un appel de vie. Un
appel à la vie. Il se sent en belle fraîcheur. Les

visions se multiplient ; il se raccroche à cette verdeur qui lui semble une voix. Elle est humaine
humaine humaine. Virile et maternelle. Elle
paraît naître d'une touffaille de silence et de
mort. Elle trouble l'existant. Il croit que cette
voix provient des conteurs connus durant
son esclavage : ces hommes, dressés l'un après
l'autre, infatigables, forgeant une parole que nul
ne comprend mais qui nomme chacun. Il ne se
rappelle plus leur air, tellement ils furent insi-
gnifiants. Mais leurs iris langagiers tigent maintenant du plus éteint de lui. Le molosse à ses
trousses lui dévoile l'ignoré de lui-même.

Les hallucinations refluent sous cette force, sou-
veraine telle une voix primale en quelque terre
biblique. Les hallucinations font images. Il voit
une madame à peau noire, au regard défaisant,
vêtue d'une écume soyeuse qui ouvre une
corolle à son corps ; elle charroie les âmes dans
une charrette-à-bœufs halée d'une seule épaule ;
ses pas affolent la poussière et elle claudique sur
des sabots de chèvre déformant ses chevilles. Il
voit, grappés à trois pieds-d'acacias, des enfants
yeux-chagrins qui deviennent énormes jusqu'à
écrabouiller ce qui les supporte. Il voit des chevaux malhabiles sur l'horreur de trois-pattes. Il
voit des cercueils tout-vivants qui mènent bac-
chanale aux quatre-croisées des treizièmes
routes. Il voit des diables en commerce dans des

pieds-fromagers avec trois chères chabines livides, attifées de papillotes ou d'algues tressées en nattes. Il voit Agiferrant, cet habitant d'une lune, porteur d'un manguier en forme de double croix. Il voit un Kakouin qui lui ouvre la route de déroutes. Il voit des zombis à tête d'arbre, ou bien sans bras ni jambes, ou bien à gros tétés. Il voit de bons-anges égarés. Il voit des gardiens de trésor dont les narines voltigent des argiles. Il voit les Ti-cochons-sianes dépourvus de famille dans l'espèce des cochons. Il voit des blocs de sang qui s'égaillent en cris. Il voit le rêve du pois d'angole, et celui de la dent, et le rêve de minuit, et celui du bout de pain. Il voit les Pamoisés aux pouces crochus. Il voit les esprits qu'on peut engager aux œuvres pas catholiques. Il voit des Dorlis qui décomptent les graines d'une calebasse de sable blanc. Il voit la Bête à Man Ibè. Il voit l'écume phosphores-cente, puis la rive oubliée, familière, chargée d'un remugle de savane et de hauts arbres désa-busés, tellement nombreux. Il perçoit un antan de l'enfance dans des chants très anciens ; et des liturgies ; et des initiations célébrées à la bière et à l'huile de sésame en des langues solitaires. Il voit les grottes de connaissance où dorment les grands masques, et le nez-bec dansant les sept séquences d'un cycle de soixante ans. Il voit les danses lourdes des semailles, les pluies de riz et les mains peuplées de rameaux verts. Il voit les masques vivants dans le pacte des plumes, et l'étincelle qui révèle leur chant. Il voit les gardiens du poison et des forces maléfiques, ô buveurs bienfaisants. Il voit des tissus de mémoires où l'argile grave naissances au mitan du raphia. Il voit sur des lanières d'étoffe l'entrelacs infini où le vent sait chanter. Il voit dans l'art de brodeuses oubliées, le vertige des voltes irrégulières, les absences qui peuplent les lumières, les copulations des vides et des pleins dans les nuances-labyrinthes des ocres et du safran. Il voit les méandres, les grilles et les signes mener errances dans le velours-raphia. Il voit l'oiseau qui offrit le coton, le poisson qui donna le fuseau, et l'araignée qui confia le tissage. Il perçoit des tambours qui remontent le temps. Il y a des voix de femmes allaitant des jumeaux dans des bris de poterie. Il voit la cuiller-calebasse, et les pilons du mil, et des coupes sacrées supportées par un âne. Il voit le couple androgyne sur le berceau du monde. Il voit des formes plénières, sculptées dans le grand-noir des mythes, prises dans un temps total, patinées de matières tombées des sacrifices. Il se voit traversé de souffles marins, se fait gibier-volant puis se retrouve sur des lits de coraux, ballotté par des gueules de requins, alourdi par des chaînes, et traînant aux en-bas de la plus sombre des mers. Il se voit dans une poussière d'os se transformant en algues et en rouillure d'anneaux. Il voit des crânes abriter des poissons translucides. Il voit l'aurore d'un vieux soleil et des clameurs de terres précieuses. Il se voit dans des écailles d'étoiles fracassées jusqu'à fondre en une lueur ténue. Il tombe. En l'état. Terrassé.

Son réveil est un sursaut. Une peur. Le vieil homme croit être tombé ainsi durant une charge d'heures. Le molosse l'a sans doute rejoint et se tient au-dessus de lui. Il boule sur lui-même, rencontre une racine, se débat à dire un naufragé dans l'écume des noyades. Pas de grognement. Pas d'odeur fauve. Il calme son corps. Son cœur remplit l'univers de son battement extrême. Son souffle bat une vapeur de forge. Il lui grille la gorge. Il demeure ainsi durant un temps pas calculable, moins épuisé du corps que dévasté par ce qu'il vient de vivre. Serrées en lui, ces visions s'apprêtent à bondir de nouveau. Il n'ose pas bouger.

Rien ne remue l'autour. Les arbres mâchonnent un fond d'éternité. L'air trop fermenté sédimente sur lui une petite peau gluante. Il entend un sifflement. Puis un autre. Puis un autre encore, usé par le lointain. Il en est pétrifié. *L'Innommable. L'Innommable.* Il ne sait plus si les crocs mortels s'acheminent vers lui, ou s'ils naissent des fièvres de son esprit. Il attend. Se forçant au calme. Quêtant cette placidité mortuaire, peaufinée durant si tant d'années. Il se sent installé dans sa chair. Ses muscles tressautent d'énergie en tumulte. Vivant, comme d'ivresse. Un arrière-bout de courage lui vient. Il se met à écouter. Et c'est là, exact, que la peur resurgit. Force déraillante même pas imaginable. *Il n'entend plus les pattes de l'animal.* Rien. Que l'omnisciente prière des grands arbres, la respiration des broussailles, la tremblée des insectes. Des germinations nouées au silence immuable. Le monstre ne court plus. Il est sans doute déjà là. Posté. Prêt à lui racher la gorge. Le vieil homme qui fut esclave se sent une nouvelle fois perdu. Cacarelle. Cœur ramolli. Mais il ne bouge pas. Il demeure telle une eau de mangrove. Il écoute encore, au plus tendu. Écouter comme écouter s'écrit. Mais rien. La traque animale ne résonne nulle part. Le vieil homme a un soulagement qui n'a pas de sens : le monstre a peut-être abandonné.

Ce soulagement lui parcourt le corps d'un frisson d'embellie. Mais une autre sensation l'empoigne. Celle de la bête, tendue terrible vers lui. Il la sent. Elle est là. Elle vient oui. S'envoyer sur lui. Mordant. Gueule. Fente d'os. Saignées. Bavées et avalements. Han. Il imagine la progression méchante dans la sylve hors des âges. Han. Il croit voir les yeux cacos. Les crocs-sans-manman. Fer. Fer. Le vieil homme qui fut esclave se met à héler. Et même rhéler-anmoué. Dans un réflexe de foi perdue, de sang sous congestion, de bon-ange déplacé, il enlève le bandeau. Et ce réflexe a l'étonnante perfection d'un geste de guerrier.

5. Solaire

Depuis le temps que nous traversons, sans voir la marque de nos pieds, voici enfin venu le temps de détracer les noms. Ils sont terrés au haut, déhalez-les jusqu'au jour d'aujourd'hui, sans les nommer pourtant. Le mystère du nom est un vaillant défricheur ! Quand vous dévalez depuis la souche, et bien avant que de rencontrer vos carnavals et vos voiturages de maintenant, vous tombez raide sur ce morceau de lave, qui froidit.

Ciment fécond des os,
socle secret des créations
et des re-créations.

Toucher,
feuillet V

La lumière fut blessure. Un fer. L'ombre qui l'habitait virevolta sur l'axe d'une dé-composition. Affolée. Le vieil homme se retrouva dans les humus. Ses pupilles n'étaient que braises. Elles lui grillaient le crâne ; il essayait de se les arracher. L'ombre en lui voulut se préserver. Elle chargeait telle une septième vague dans les rades tumultueuses, puis refluait dans un macayage trouble. Il se sentit envoûté de désir, le coco turgescent, la graine chargée, douze-six décharges éblouissantes, jouis de soleils fécondés fécondants, pailles lunaires des semences, une la-honte l'emporta, serrer sa nudité, enterrer de vieilles peurs, recouvrir cette angoisse. Lumière menait des transhumances en lui. Elle dissipait des innocences. De hautes candeurs s'effritaient sous des lucidités semblables à des blessures. Des densités se dissociaient, il se sentit un lot de fois multiplié et démultiplié. Le reste est impossible à décrire dans cette langue, que l'on m'amène des sons et des langages anciens, des vocaliques plurielles, des gerbes tonales et des liaisons effervescentes, je mène chantier aux genèses nouvelles. Oui, lumière menait des transhumances en lui.

À la faveur de cette lumière qui défaisait ses équilibres, les fulgurances fuligineuses voulurent le submerger. Elles paraissaient provenir de partout, sillons de terres, zinzole de parlers, siwawa de peuples, grands bouquets de personnes. Pour la première fois depuis qu'il l'affrontait, le magma sembla prendre le dessus. Pourtant, lumière était en lui, pillage ouvert, froidures. Des architectures inconnues se redressaient tremblantes, puis s'éparpillaient en fulminantes déroutes. Un maillage de clairs-obscurs enserra son esprit. Sensations d'étourdi. Le vieil homme qui fut esclave parvint à se mettre genoux, et-puis à se hisser tremblant, dos plaqué contre un tronc, et-puis à tituber, et-puis à essayer de reprendre sa course. Il courait sous l'urgence d'une agonie. Chaque pas déclenchait l'avalasse des éclaircies et des coulées fumagineuses. Mais il avançait. Il parvenait à avancer. Il crut que la vitesse réinstallerait l'équilibre

perdu. Lumière le tisonnait à travers ses paupières devenues transparentes, il les avait perdues, et ses pupilles s'exposaient au rayonne-
ment pas soutenable. Il courut encore, ou il
essaya de le faire, en tout cas il eut, dans un
balan à travers les Grands-bois, l'aveugle sensation d'avancer. Mais la terre se déroba. Un man-
man-trou. Profond. Le vieil homme qui fut
esclave s'y engloutit d'un coup.

Il était tombé dans une de ces vieilles sources
qui nourrissaient les bois-profonds. Noyade.
Une eau glacée-glacée. Il retrouva les cauchemars des cales négrières. Les abysses. La mer
sans vent. Le sel. Les vagues. Grand-gueule des
squales. L'eau. L'eau. Il allait se noyer au profond d'une source. Il en percevait l'intense vita-
lité. Elle provenait de loin, compagne de densités calcaires et de fosses argileuses, charriait un
arrière-rêve de soufre et de phosphore. Elle se
souvenait de fossiles marins, d'alluvions stel-
laires. Elle avait vu des tabernacles de gypse et
des cavernes iridescentes creusées dans du
basalte. Elle partageait les connivences des vol-
cans et des plages, les mélopées du ciel murmu-
rées par les pluies, la poésie des îles dans
l'événement d'un temps grandiose. Des affaisse-
ments l'avaient déviée, et des failles erratiques
l'avaient projetée (pour vingt-deux mille ans)
dans des évasions sombres. Quelques racines

aveugles l'avaient aspirée et s'en étaient nour-
ries. La source s'était ainsi maintenue en surface, grignotant la terre sans jaillir du sol, la
digérant lentement, jusqu'à susciter un trouble
de marécage. Comme un œil d'eau, une gueule
absorbante dessous l'ondulation des fougères
bienheureuses. Les grands arbres la suçaient ; ils
défiaient le soleil d'une verdeur insolente que
les pics du carême ne rabattaient jamais. Le vieil
homme qui fut esclave se dit qu'il mourrait là,
au fondoc de cette source comme bien d'autres
nègres marrons sans doute, disparus dans les
bois, et que personne n'avait revus bien maigres
auprès d'un poulailler. Il eut un sourire : mourir
dans l'entraille vive d'une source plus vieille que
lui. Hum. Elle avait goût d'orages, toute sapide
de l'alcool des rivières envasées. Elle paraissait
irradiée de charbon et de ciel, d'essences vola-
tiles et de dépôts éteints, de racines anisées et de
fleurs au parfum d'angélique. Il se sentit envahi
de pureté. Il but de cette splendeur qui déjà lui
noyait les poumons : il en avait un tel désir. Le
soleil qui l'avait aveuglé n'avait rien perdu de sa
grage lumineuse. Mais, au fond de la source, il
était devenu noir. Intense comme certaines
femmes. Et la source elle-même, au fil de sa
noyade, devenait noire. Elle l'envahissait noir.
Une obscure clarté l'empoigna alors qu'il
hoquetait pour se trouver de l'air. Il comprit ce
qu'était la mort : ce vertige bien sûr, cette enfon-

cée sans fin, mais aussi cette saillie de matière primitive où l'on va se défaire. Il voulut crier un à-moi de douleur. Tragédie d'oxygène. Il voulut roucler de plaisir pour tant de félicité dans l'effacement de ses souffrances. Il mourait. Finirbattre. Terre blanche. Boue chaude. La lumière torturante s'alliait maintenant aux ombres qui l'avaient habité, et il connut le vertige dernier. À ce point que je ne saurais décrire. L'hors-parole, l'en-deçà de l'écrire du chant et du crié, là où je pleure (si pauvre) mon impossible désir. Le vieil homme qui fut esclave s'en allait au courant de l'ultime mystère. Vaincu.

Un hoquet. Là où toute lumière et toute ombre se dissipent, il y a un envoyer-monter. Un vouloir-vivre élémentaire. Le vieil homme qui fut esclave se mit à se débattre. Sa poitrine se fit accordéon de forge. Ses pieds quêtèrent un appui convulsif sur les racines aveugles qui traversaient la source. Il trouva support à propulsion. Il jaillit du trou pour inspirer de l'air. Il y retomba et s'enfonça profond dans une vase de mercure. Il rebondit encore, happa une goulée d'air. Puis une autre. Et une autre. À chaque remontée, il s'emplissait d'un plus d'envie de vivre. Il bondit, corps en arc, lancé. Hurlant au déchiré.

Sa main se referma sur une liane avachie. Il s'en servit pour s'extraire de la ventouse marécageuse. Il se traîna dans l'instable couche d'humus. Sauvé. L'éther d'un contentement l'envahit jusqu'à ce qu'il aperçoive les crabes. Il était tombé dans un mystère de crabes enchevêtrés. Affolements de pattes et carapaces. D'antiques mantous poilus. Des grouillées de grosses pinces rougeoyantes. Tout d'ailleurs était rouge. Lumière avait pris le dessus dans des voltes écarlates qui l'emplissaient de force. Il conservait les paupières serrées-clouées. Il rampa, du plus loin qu'il put, des crabes déments et de la source mortuaire qui chantait une aurore. Une man-man-racine (ramassée sur elle-même telle une déesse autiste) lui servit de refuge. Là, il se mit à rire, du rire alcoolique de ceux que l'on arrache aux tombes après de vieilles méprises. Corps sauvé.

Il rit ainsi. Comme pipiri chantant. Un grillé de café dans le petit matin. Le senti d'un bon four à charbon. Un tremblé d'eau sur une corolle qui s'ouvre. Le suint sacré d'une barrique de rhum vieux. Il rit comme ça, et l'énergie du rire lui labourait le corps. Il fut surpris de ne rien percevoir du tumulte qui l'avait habité. Dans l'apaisement, son cœur s'était réglé aux courbes d'un vent tranquille, fort telle rivière qui descend, mais tranquille. Ses muscles, déraidis, s'étaient pausés au douillet d'un refuge. Une évangélique sensation jamais connue avant. Alors, il eut le désir, le courage, d'ouvrir les yeux, ou plutôt de bouger les paupières. Il vit rouge encore. Il vit trouble. Il vit double. Lumière était forte mais plus aussi violente. Elle provenait de l'extérieur, sans doute de l'intérieur, l'irradiait à la douce. Les choses autour de lui étaient informes, mouvantes, comme exposées derrière une eau très claire, j'écarquillai les yeux pour mieux voir, et le monde naquit sans un voile de pudeur. Un total végétal d'un serein impérieux. Je. Les feuilles étaient nombreuses, vertes en manières infinies, ocre aussi, jaunes, marron, froissées, éclatantes, elles se livraient à de sacrés désordres. Je. Les lianes allaient chercher le sol pour s'emmêler encore, tenter souche, bourgeonner. Je pus lever les yeux et voir ces arbres qui m'avaient paru si effrayants dans leurs grands-robes nocturnes. Je pus les contempler enfin.

Ils étaient tous immenses. Chacun nourrissait l'impalpable d'un mystère. Ils cueillaient de très haut la lumière, et la convoyaient à leurs pieds en contrebandes fantomatiques. Leurs branchages scellaient des alliances d'ombres et de trouées luminescentes. La voûte végétale, arc-boutée à la terre, expédiait ses fûts droits et sauvages vers l'aliment du ciel. Arbres vivants, pieds morts, ramilles vertes, branches bréhaignes, chevelures parasites, bourgeons et pourritures, graines et fleurs brisées, nuit de terre feu solaire se liaient dans un élan. Vie et mort végétales allaient ce même élan, en cycles complémentaires mais indifférenciés. Alors, moi qui avais convoité leurs postures impassibles, je les reconnus, je voulus les nommer, les créer, les recréer. Voilà les Acajous, blindés d'écorce grisâtre, leur poudre a souvent refermé mes blessures, voilà leurs fleurs ligneuses où des perroquets bectent le goût d'ail de leurs chairs. Voilà les Lauriers-roses, longues feuillées inquiètes, velues-blanchâtres, tant stimulantes en thés, j'en avais eu l'usage pour apaiser mes dartres. Voilà les Courbarils au cœur rougi-massif dont le miracle se révèle dans les moyeux de distilleries. Oh, les Gaïacs plus raides que roche, âme de résine musquée si bonne contre ma goutte. Mahoganis-ti-feuilles, Mahoganis-gwan-feuilles, oui c'est vous-mêmes. Ho, Acomas fleurs jaunes, filtreurs du souffle amer qui est éternité. Voilà les Carapates, vêtus du noir rugueux dont rêvent les charpentiers. Voilà les Filaos décourageurs des haches et les Pieds-fromagers qui bruissent de danses-zombis et de la-prière-merles. Voilà Mahots-cochon, et les Pieds-bois-marbri infirmiers des amours, voilà les Mauricifs que détruisent les tanneurs, et les mornes Sabliers comptables d'ombres sans feuilles où les fruits explosent, voilà les Balatas, et les Gommiers immenses promis aux drivées océanes, voilà les

Calebassiers et les Bois-flots, et les touffes-Bambous qui mettent soixante-dix ans à ruminer une fleur... Ils étaient tous là, Bois-rivières, Pains-d'épices, Génipas, et si je ne les voyais pas, je les sentais monter. Voilà les Arbres-à-pain plantés par les marrons, et les Avocatiers qui balisent leurs traces, voilà les Acacias porteurs des connaissances, voilà les *trois Ébéniers* qui tirent les axes d'une œuvre étrange. Voilà ceux que la lumière habille de secrets, ou ceux qui s'enveloppent d'un halo de fait-noir. Tous sortaient de terre comme d'un ventre défoncé avec la même puissance. Je voulus me vautrer dans cette terre d'où s'élevaient tant de forces. Mon besoin de ces forces en faisait des beautés. Et cette beauté alliançait et la terre et le ciel, et la nuit et le jour. Je me couvris d'humus puis de tuf ramené dessous mes ongles fouisseurs. Mon corps découvrait l'appétit des racines, la solitude gourmande des vers-de-terre. Mes mains exhaussaient des poignées de terre noire avec lesquelles je me frottais le corps. Une grouillance m'escortait, escargots, poux-bois et les sphinx du poirier, fourmis et les bêtes-à-mille-pattes... Je mangeai de la terre. Elle se dissipait chaude contre ma langue avec un bouquet de caverne et de sel. La terre me conféra un sentiment de puissance bien au-delà de la vie et de la mort. Et la terre m'initia aux invariances dont je percevais l'auguste pérennité.

J'étais assis. Je me secouai la tête pour m'arracher à l'hypnose des grands arbres. Accroupi, j'écoutai mieux le fabuleux silence. Les bruits du monstre ne réapparaissaient pas. Mais il venait vers moi à toute vitesse. J'en avais la prescience. Si je ne bougeais pas, il s'enfoncerait lui aussi dans le marais de la source. J'eus l'idée de l'attendre, là comme ça, pour qu'il ne change pas d'axe et se noie dans le piège millénaire. Je saisis une branche morte, bonne à lui rompre le crâne. Puis, j'écoutai encore. Une fracture du silence. Ses pas. Oui, j'entendis ses pas. Impossible de savoir s'ils étaient proches ou lointains. Les arbres disséminaient les chocs. Échos de sépulcre qui me glaçaient le cœur. Dans le même temps, je pris conscience que les crabes m'avaient rejoint. Les mantous tracassaient mes orteils avec leurs gros-mordants. Les crabes rouges voulaient m'ensevelir d'un pus sanguinolent dégorgé de l'humus. Je balayai les premières lignes ; ce fut comme repousser de l'eau. Pattes griffantes, pinces aigries, ils revenaient intacts renflouer la traînée dévastée. Je résolus de m'éloigner de la source ; réduit à espérer que le molosse y basculerait quand même. J'allais prendre courir quand — hoo ! — J'aperçus l'Innommable.

L'Innommable était là, dans l'ombre, lové sur une fougère à hauteur de mon cou. Déjà raidi, prêt à frapper dans un wacha d'écailles. Sifflant. Crocs exposés. Je restai froid, je veux dire bleu-saisi-pétrifié. Le temps se déroula comme bobine-fil tombée. J'avais la menace du molosse en approche, et celle d'une gueule sans-nom en attente pour frapper. J'étais entre deux morts. J'avais, toute ma vie, craint l'Innommable qui rampe. Certains m'avaient mandé d'apposer une paume sur les morsures de la Sans-nom. J'avais ainsi sauvé des vies d'une main mouillée de peur, qui n'avait de vertu que l'échaudé-froidi de sa peur primale. La-peur sans rémission. Obscure. Puissante. Sacrée. Malgré le tant d'années passées au fond des champs, dans les recoins des sucreries, sous les tonneaux de distil-leries, nulle Sans-nom ne m'avait attaqué, pas plus qu'ils ne frappaient le front lisse des pierres. Mais là, celui-ci s'apprêtait à me tuer. Je sentais les effluves de ses craintes. Elle se tendait vers mes chairs réveillées. Ma peur amplifiait sa terreur. Son venin s'était massé au ventre de ses crocs. Ses glandes cramoisies voulaient se déver-ser. Je m'étais raidi-froid ; cela m'avait sauvé. Maintenant mon sang retrouvait une panique. Une suée me vernissait le front. La terreur nous soudait dans un vrac silencieux. Nos effluves identiques trouvaient un équilibre. Cela sans doute me protégeait. Il fallait demeurer ainsi. Pas bouger, mon nègre. Pas foubin, mon bougre. Pas laisser ton cœur désaccorder sa peur. Pas laisser le monstre arrivant m'arracher une tremblade. Rester-là, avec cette Innommable plus puissante et plus rapide que toi. S'il m'injecte son venin, et même si elle l'envoie sur ma peau abîmée, je serai terrassé. Pas bouger. Derrière, le monstre se rapprochant, me transmettait une roide envie de fuir. Courir. Pas bouger. Courir. Pas bouger. Je ne savais quoi faire. Je croyais voir ma mort au plus clair. La voir même au plein de ce déchirage.

*

Le monstre avait happé la piste à l'orée des Grands-bois. Une odeur énigmatique, transformée à mesure qu'elle accédait au cœur noué des broussailles. D'abord ténue comme soupir de bois sec, elle s'était ouverte en d'incroyables fragrances. Le monstre avait perçu des remugles-cimetières, de chairs en défaisances et de sueurs déterrées. Il n'eut aucun mal à suivre cette crise olfactive épaisse comme une corde. Elle ressemblait tant à de la chair à la fois vive et morte, que le monstre avait senti sa course s'accélérer.

Puis la piste avait encore changé. Elle s'était mêlée aux relents végétaux telle une dentelle d'alcool aux variations sans fin. Le molosse avait senti des peurs de plus de vingt mille ans. Des angoisses génésiques. Des bouillons de terreur.

Cela décuplait son impact sur le sol. La piste s'était muée en amertume d'absinthe, puis d'amande, puis de camphre, qui s'était imposée aux touffeurs végétales. La piste bientôt n'eut plus grand-chose d'humain. Les narines du molosse captaient des tracas de pierre ponce et de basalte blessé. Il avait cru un instant poursuivre l'aigle-malfini à cause d'une traîne de pluie fluorée. Puis, s'était cru en chasse du vaisseau fantôme qui hantait la Bretagne et qu'un de ses maîtres pilleurs d'épaves rêvait d'arraisonner. Il avait cru traquer le loup rance des grandes neiges, ou l'ours des montagnes effilocheur d'oreille. Il avait pensé au bélier noir normand pour lequel on réchauffait une treizième balle d'argent dans un coffret de mandragore. Il avait retrouvé le musc de ces belettes qui déroutaient les caravanes tsiganes. Ou celui des blaireaux que des maîtres-savants pourchassaient pour broyer leur cervelle dans une médecine contre l'épilepsie. Avaient surgi les miasmes de ces os de chat qu'on déterrait de nuit pour leurs vertus à tout rendre invisible. Parfois, le monstre avait cru traverser les champs de blé dont chaque grain mûr portait l'image d'une vierge et au-dessus desquels les orages s'apaisaient. Il avait eu sensation de courir vers une mer où les méduses accablaient le corail de leurs suicides visqueux. Seule la continuité impériale de la piste avait permis au monstre de ne jamais dévier : elle variait à l'infini sans se briser, il avait su que c'était ça, il s'était dit que c'était cela qu'il devait pourchasser, même lorsqu'il crut tendre la gueule dans le sillage d'un crépuscule et d'une aurore qui danse. Le monstre ne lâchait pas la piste. Ses yeux (s'il s'agissait de cela) ne cillaient pas.

*

L'Innommable me pétrifiait et je le pétrifiais. J'avais atteint un arrière-fond du désespoir. Mourir là comme-ça sous une frappe impure ! L'ombre que j'avais refoulée se dressait devant moi. L'Innommable n'est ni mâle ni femelle. L'Innommable n'a pas de commencement et l'Innommable n'a pas de fin. L'Innommable semble porter son double reflété dans du ciel et des miroirs de terre, et il peut s'avaler et renaître en même temps. Elle a vu naître les dieux les plus anciens, et il les habite tous. Le soleil suit la courbe de ses flancs et la nuit niche dans sa reptation même. Elle est d'eau, il est de glaise, elle est d'arc-en-ciel buveur. Médecine de vie, médecine de mort, l'Innommable est totale de toutes fécondations et toutes stérilités. J'avais vu les morts qu'engendrait sa morsure, ces corps gonflés d'une chimie charbonneuse, ces visages détruits par l'étouffement majeur. Aucun arbre ne poussait sur ces tombes, mais l'herbe y allait fine et sensible aux ventées ; elles frissonnaient de plus de divinations que les conques du lambi de sept ans, et plus d'un fossoyeur avait dû y jeter les tranches du citron vert et l'eau de coco pure. Ces souvenances bousculaient mon esprit. Chacune de ces images charriait son lot d'ambiguïtés dans ma vision toute neuve.

Mon esprit apaisé charriait encore des houles d'anciens tumultes. Elles avaient la mollesse des souvenirs échoués. Je retrouvai en quelque coin de mon âme cette quiétude qui m'avait traversé à la sortie du trou. J'avais cet apaisement offert. Je m'y réinstallai. Toute peur s'évanouit de mon corps. J'étais profond sombre et clair comme la source où j'avais cru mourir. Je devins un glissé de vent frais sur un sable de savane. Une électricité qu'habitait la complainte oiselière des grands arbres. Je crus même que ma peau changerait de couleur comme celle des anolis. J'étais surpris de mes transformations devant l'épouvantable Sans-nom. Elle s'accordait à moi, et sa terreur se dissipait dans l'embellie de mes ondes. Je sentais refluer les poches de son venin, et se détendre son emprise sur la tige de fougère. Une force vaniteuse m'envahit, j'eus envie de la saisir, plus rapide qu'elle, au cou, et de lui écraser les vertèbres dans mon poing. J'eus envie, plus rapide que lui, d'une calotte la voltiger. Cela m'était possible. Mais je ne fis que m'éloigner dans un bouger sans soubresaut. Elle disparut là-même. J'eus peur qu'il ne resurgisse à l'entour de mes pieds. Je roulai sur moi-même et-cætera de fois. Puis, je repris ma course, voltigeant le frissonnement de crabes qui m'avait recouvert. Il était temps car le monstre était proche.

Mon soin, durant ma course, fut de déjouer son flair. Je me frottais sur l'écorce des cannelles. Je m'enduisais des fourmis-santi qui peuplaient les lianes douces, et des grosses termitières vivant de racines mortes. J'utilisais les feuilles du vétiver, des nids de manicou, des boues chaudes qui sentaient le mystère. Sans doute en pleurant, je maniais les trois feuilles de l'injonction-diablesse qui rendait invisible. Je nouais sur les branches molles les signes de la déroute. Main par-dessus l'épaule, je dissipais le geste des aveuglages. En fait, toutes les feuilles me furent bonnes, j'espérais me dissoudre dans cette âme végétale. À présent, j'entendais autrement la course de l'animal. Il n'avait jamais ralenti son balan, ni connu la fatigue. Son rythme restait intact telle une mécanique. J'y percevais une rage plus féroce qu'au début. C'était sans doute parce qu'il s'était rapproché de moi. Les chocs ne résonnaient plus de manière sépulcrale ; ils traversaient les feuilles avec précision. Moi qui ne croyais en rien, j'éprouvais foi en tout : en ces arbres chevelus de lianes mélancoliques, en ces orchidées pâles sur d'impudiques racines, en ces oiseaux taiseux nichés accolés aux fourches basses, en ces présences furtives qui avivaient les ombres. J'invoquais protection telle une marmaille perdue. Je dus pleurer longtemps, la course plaquant mes larmes sur les rosées anciennes. Je pleurais le malheur de ce chien qui allait me détruire, mais je pleurais aussi sur cette vie retrouvée qui m'enivrait les jambes, ce vieux cœur qui brûlait chaque seconde l'énergie de mille ans d'existence. Je pleurais cette fraîcheur découverte dans mes chairs, cette magie de mes yeux qui enchantait le monde, cette bouche où explosaient les goûts, le sensible de mes mains et du reste de mon corps. J'étais en appétit et j'étais déjà mort. Et je pleurais tout cela, sans tristesse ni souffrance, avec d'autant moins de réserve — je l'apprenais ainsi — que pleurer c'était vivre et mourir en même temps.

Je voyais clair, mais j'avançais moins vite. Était-ce la fatigue ou l'amas des obstacles ? Se détourner des troncs. Écarter les broussailles. Rompre l'amarrée des lianes et le vrac des branches mortes. Mes blessures n'étaient pas calculables. Grafigné. Griji. Écorché. Froixé. Tuméfié. Zié boy. Blesses. J'étais couvert de sang brillant et de croûtes. Je voyais clair et cette clarté m'embarrassait. Je regrettais ma première course aveugle.

Mais cette lumière m'était venue pour affronter le monstre. Elle était un vouloir de la vie. À courir, le molosse était plus vif que moi. Son appétit de tuer, bien plus bandé que mon envie de vivre. Il galopait, me semblait-il, dans cette grâce obscure qui m'avait permis de percer les zayons mieux qu'un spectre de Dorlis. *Ne plus courir, me battre.* Le combattre. Cette résolution me remplit d'épouvante. D'excitation aussi — vraiment inattendue.

Alors je m'arrêtai, abîmé sur mon souffle. Je saisis une branche morte. Longue. Lourde. Aiguisée d'une cassure. Je l'avais bien en main. Ho, surprendre l'animal. J'espérais que les odeurs dont je m'étais chargé obscurciraient son flair ; qu'il ne saurait pas que je revenais vers lui. *C'est revenais que je revenais.* Je courais dans l'autre sens à sa rencontre. Ma course devint légère. Elle se fit huile-coco et coton-fromager. Je ne pensais à rien. Une plénitude pas ordinaire me transportait. La décision de me battre réintroduisait certitudes et espoirs. Elle aiguisait mon désir de survivre jusqu'au fil d'une folie. La course en sens inverse exaltait ce désir en une rage de vaincre. Pas une haine, pas un ressentiment, seul un vouloir-détruire ce qui me menaçait. J'avais une charge de fois, sur des bois-flots légers, affronté de hautes vagues, pour livrer des barils ou des boucauts de sucre aux bateaux des marchands. Aller contre les vagues, les négocier exact, utiliser leurs déchaînées contraires pour s'élever et trancher. Une ivresse ancienne retrouvée là, intacte au fond de ces Grands-bois. Mon boutou à la main, j'étais tombé chasseur. Me revenaient des cris d'assaut dans de claires savanes. Charges d'éléphants saignés et rugissements de fauves. Traques de crocodiles dans des bourbes exténuées. Danses pour le courage des braves. Des blogodo de peuples et de dieux très fâchés. Une démence de quatre millions d'années éclairée de hautes flammes. Je revenais vers le monstre. Je ne voyais plus rien des embarras de tout à l'heure. Je me sentais guerrier.

Je m'arrêtai flap. Il était là. Il approchait, emporté par sa course. Il devait courir ainsi depuis une charge d'heures, rivé aux fils de mon odeur. Je m'adossai à un tronc, mon boutou bien en main. L'air inspiré n'avait plus d'oxygène. Mes yeux s'étaient rougis et mon corps convulsait comme chatte empoisonnée. Mes bras s'étaient raidis. J'étais en rage et en sainte épouvante. Un coup seul serait possible. Lui fracasser la gueule. Lui rentrer la mâchoire pour qu'elle brise une vertèbre. Une seule vertèbre rompue, mon corps était sauvé. Frapper avec décision, pas avec force mais en bloc d'énergie et en geste impeccable. Je m'apprêtai à le faire, je m'imaginais le faisant, je confiais à moi-même que ça m'était possible. Je pris le temps de respirer profond, ralentissant l'émoi de mes poumons qui imploraient de l'air. Je pris le temps de m'habituer à mes muscles survoltés. L'air me pénétrait telle une soufflée marine, une maternelle comptine au creux d'une berceuse, un gratté de banjo au rose d'un jour ouvrant. J'expirais, et longtemps et lentement, mes désordres et mes peurs. Cela grisait ma vigilance. J'étais prêt. Bandé au plus extrême. Et détendu aussi.

Le molosse approchait. Effrayant, cette puissance de ses pattes. Mes doutes réaffluèrent telle une marée diffuse. Les chocs étaient claircis comme des paks de tambour. Ils défonçaient la terre. Et leur rapidité n'était pas comprenable. Cette vitesse le rendrait invisible. Je ne verrai même pas un fil de sa fumée. Je craignis le manque de temps pour balancer mon coup. Fesser pile. Frapper bon. Je m'accordai à son galop, en mesurai l'approche, ajustai ma frappe aux sonnailles de ses pattes. Mes doutes refluèrent. Écumes. Bienfaisance. Respir profond. Je me sentais paré une fois encore. J'allais fesser sur lui le désastre d'une foudre. J'étais là avec lui. Me voici, te voilà. Mais — ... *A-a !*... — le bruit des pattes cessa. Net flap et carrément. *Le monstre s'était immobilisé.*

*

Le Maître ne savait plus quoi faire. Il entendait dans le lointain la course de son chien. Il le savait sur la bonne piste. En conservant cette direction, il espérait le retrouver, ou que le chien le retrouverait. Alors, le Maître marchait tout droit. Mais il était accablé de la plus grave des solitudes. Elle se détachait des arbres pour s'alourdir à ses épaules. Ses pas étaient lourds. Ses pas étaient lents. Ses pas étaient coupables. Il ignorait si c'était la fatigue ou vraiment le mystère de ces arbres qui le torturait tant. Rien là de maléfique. Le Maître y percevait une virginité en dehors des morales ; quelque chose de premier qu'on avait offusqué, et qui s'était perdu pour les gens d'ici-là.

C'était cela. C'était sûrement cela. *Ces lieux avaient connu la damnation.* Elle était là. Rôdeuse autour de lui. Il s'imagina qu'elle émanait de lui. Le taraudait aussi. Il ne comprenait pas. Il s'était tant battu pour défricher cette terre, s'opposer aux sauvages, s'occuper de ces nègres, offrir aux barbaries le beau des plantations et des sciences sucrières. Sa vie n'avait été que courage et souffrance, travaux et fatigues, échauffures de l'esprit et inquiétudes du cœur. Pourtant, malgré ces harassements, le Maître dormait très mal. Il décelait en lui de tumultueuses hontes étrangères aux courages déployés ou à ses héroïsmes de puissant bâtisseur. Il avait mis cela au compte du péché d'origine révélé par son Livre, mais les messes n'avaient rien apaisé. Les confessions non plus. Le sentiment de honte restait lové sur l'indicible, l'imprononçable, sur l'invisible et l'inavouable dont il ne savait rien. Il était fier de lui mais cette fierté, en certaines heures, se délitait comme une parure de bateleur. Il était là, seul au mitan de ces arbres, et de ces lieux, et son héroïsme dont il tenait chronique ne pesait plus très lourd. Il avait manié — c'était écrit — les grand-voiles conquérantes. Il avait pété bombardes contre les rages caraïbes. Il avait enterré, sous des conques de lambis, des amis et des frères. Il avait foudroyé des perroquets, fumé des graisses de lamantins, gobé des œufs de grives qui couraient dans les sables. Il avait pleuré sous l'exil et la fièvre, les souvenirs usés et les lettres perdues. Il avait planté le pétun, l'indigo et puis la cannamelle. Il avait modifié des bateaux pour convoyer des nègres. Il les avait vendus. Il les avait achetés. Il leur avait donné le meilleur de sa race. Il avait dressé les plus hauts murs de pierre, les officines de marbre et les voûtes gothiques où sommeillent des grandeurs. Et fondé les villes blanches dans le miroir des rades. Et déployé les ports sur des cheveux de mulâtresses. Il avait défriché les terres fumantes, dompté les rivières vomies par le volcan, repoussé les serpents qui contrariaient le songe des angelots de fontaines. Il avait fait Grands-cases de pénombres et d'argile, levé moulins, dressé sucrotes. Tracé les routes utiles et les signes des croisées. Il avait exploré les secrets des alcools et la douceur de vivre (auprès d'une femme très pâle, au bras très blanc sous un chapeau à large bord à dentelles flottantes). Il avait gagné, sur mangroves et descentes, l'offrande des champs les plus fertiles. Il n'avait jamais pleuré, ni douté du divin légitime qui sanctifiait ses actes... *Solitude ooo pourtant !...* Ce silence grandissant à mesure de son âge. Ce poison solitaire dans l'ombre de ses victoires. Cette fatalité qui défaisait ses pas. Ce qu'il avait dit des Grands-bois pour tuer les marronnages, l'habitait lui aussi. Ces Grands-bois qui connaissaient l'Avant, qui recelaient l'hostie d'une innocence passée, qui vibraient encore des forces initiales, l'émouvaient à présent. Ces Grands-bois avaient fasciné les nègres fugueurs. Ils s'y étaient réfugiés comme dans un ventre-manman. Ils voulaient y mourir plutôt que de tomber dans un sillon de champs. Ces fuyards regardaient les arbres comme on contemple les cathédrales. Ils leur témoignaient respect cérémonieux. Et les arbres leur parlaient. Lui, le Maître, les avait parés de mauvaisetés : *niches-zombis, niches-diables, niches-la-fièvre, niches-à-disparitions !...* Ces baboules se rameutaient inattendues en lui. Le Maître le sentait maintenant. Les Grands-bois étaient puissants. Ils vous mettaient à nu, en force ou en malheur, à nu rêche. Dans leurs ombres, le Maître se voyait submergé par la honte. Il avait peur. Son geste de pionnier hésitait. Son marcher de conquête tremblotait. Il ne devait pas se retourner. Ni regarder aux environs de lui. Ni fixer les poteaux de lumière qui descendaient du ciel. Il devait s'accrocher à son chien. Le suivre jusqu'à la mort. Ce chien seul lui permettrait de survivre. Alors le Maître marchait au long d'une pénitence.

Il pensait au vieil esclave. Ce plus fidèle d'entre les fidèles, qui lui avait voué l'essentiel de sa vie. Trahison. Il ne comprenait pas cette fuite. Le vieil esclave l'avait vu naître, avait même eu pour lui des gestes de tendresse. Lui avait appris le dressage des chevaux, initié aux secrets des fruits jaunes et des coqs de combat. Le vieux-nègre ne lui avait jamais parlé, peut-être souri parfois, il s'était contenté d'être là, tel un solage d'époque pionnière. Le Maître ne savait plus si son père l'avait acheté des griffes d'un négrier, ou s'il avait levé sur cette Habitation. Il n'avait pas l'étrangeté des nègres-bossales, ni le familier des nègres-créoles. Il avait toujours été là. On l'appelait *Fafa*, ou *Vieux-sirop*, sans trop savoir pourquoi. Il n'avait eu ni femme ni donné un enfant. N'avait jamais suivi les sermons de l'abbé, ni mendié le baptême ou l'hostie, ni porté les bottes défaites ou les chapeaux usés. À la mort du Père — le Maître s'en souvenait soudain — le vieil esclave n'était pas apparu aux chants de la veillée. Il avait creusé la tombe sans le chagrin-spectacle des nègres domestiques. Quand la Madame agonisa (la Madame-Maîtresse, une vieille Normande très charitable, qui soignait bien ses nègres), le vieux-bougre n'avait pas pris sommeil au bas de la Grand-case, ni poussé les complaintes qui attristèrent les cases quand elle rendit le souffle. Évidence : le Maître ne voyait de lui, aux intimes souvenirs, qu'un visage de *papaye et d'ennui,* une grande ombre *insonore* à moitié hors du monde, une grande bête silencieuse. Pourtant, aucune haine en lui. Ni menace. Ni danger. Mais pas d'acceptation. C'était cela. Le vieux-nègre n'avait pas accepté ce qu'on faisait de lui. Jamais. On lui avait pourtant tout donné, les faveurs et les grâces. Il n'avait pas été esclave, non, mais un vieux compagnon. Oui, ça même, un très vieux compagnon. On l'avait aimé. Trahison ! C'était une trahison.

Le Maître ne comprenait pas surtout cette énergie qui semblait le porter. Un si vieux bougre. Le molosse d'habitude rattrapait les fuyards bien plus vite que cela. Mais le vieux-nègre paraissait courir plus vite que le molosse. Pas croyable. Un si vieux bougre. Plus vite que le molosse. Le Maître crut se trouver au-devant d'un prodige et cela augmentait le mystère de ces bois qui, doucement, de plus en plus, révélaient des silences de son âme. Le Maître, surpris, découvrit qu'une eau lui submergeait les yeux. Une vieille eau. Eau salée. Une eau un peu amère.

*

Le monstre s'était arrêté. En quelque part derrière les bois. Il savait que j'étais là. Il savait que je l'attendais. Son instinct de tueur décelait ma présence. Je ne bougeai pas. Le temps s'écoula encore. Je n'entendais rien. Mes bras voulurent trembler : mon imagination entamait une dérade. Je voyais le monstre se glisser derrière l'arbre où je m'étais posté. Oui, il est là de l'autre côté du tronc. Il le contourne lentement pour me briser l'en-bas. Malgré moi, je tournai la tête, changeai de position. Je l'imaginai alors de l'autre côté. Et même venant du haut. Je ne savais plus où me mettre ni comment. Mes yeux en alerte veillaient dans tous les sens. Je courus m'abriter sous un autre pied-bois en sorte de mieux couvrir la zone où je m'étais trouvé. Paix. L'ombrage, soleillées et feuillées. Rien d'autre. Alors j'écoutai. Oreilles effilées. Trous-nez ouverts. Essayant de déceler le frôlement du corps fauve sur la râpe des branches basses. Écouter même. Traverser le silence. Entendre. Il y eut comme un battement d'eau. Un débattement. Je compris là-même : *La source !...* le molosse était au fondoc de l'œil marécageux et il se débattait ! Il se noyait le corps ! Griffait à mort les bords friables ! S'enfonçait ! Remontait pour s'enfoncer encore !... Mes bras au ciel : *Hosanna... Ô Gloria !...*

Je me précipitai en direction de la source. J'y arrivai bien vite. Je le vis. Il était effrayant. Couvert de boues. Couvert de feuilles. Couvert d'humus. Grognant à peine, il se débattait dans le piège mouvant. Un bouillonnement méchant. Ses bidimes pattes affouillaient les berges, voltigeaient les lianes, une soupe indistincte de gueule, d'yeux encombrés, d'étouffements, qui bankoulélait la boue la plus ancienne. Cela disparaissait durant sept-neuf secondes pour resurgir avec cas-et-fracas. Ce que je voyais était épouvantable. On eût dit un zombi essayant d'échapper aux exorcismes geôliers. J'ignorais comment m'en approcher, ni n'osais m'approcher pour frapper ses vertèbres. Activer sa noyade. J'avançais pourtant, sans vraiment y penser. Le sol se déroba, spongieux, mol, aspirant, affamé. Enfoncé jusqu'aux bols des genoux, j'étais encore loin du bouillon infernal. Alors je reculai. Je sillonnai l'autour du trou, espérant une languette de terre ferme. Mais ma proie écumait au mitan de la source. Inaccessible. Oala, le monstre s'envoya-monter. Un saut de manman-poisson. Je le vis entier, arqué en l'air durant une zine de temps avant de retomber lourd dans le trou-bouillon. Cette plongée m'éclaboussa de boue miraculeuse. L'ennemi était à ma merci. Je tournais-fol autour.

J'approchai à plat ventre pour ne pas m'enfoncer. Mais dans cette position, impossible de frapper. Alors je regagnai la rive. Je trouvai une branche basse à laquelle m'accrocher. Avec elle, je parvins au-dessus du bouillon. Et je frappai. Biwoua. D'une main. Biwoua. Avec mes peurs, mes haines, ma rage et mon envie de vivre. Le molosse hurla telle une Bête-à-sept-têtes. Jamais entendu une catastrophe comme ça. Une calamité de sons amygdaliens et d'étouffailles boueuses. Il bondit encore. Ses yeux happèrent les miens tant qu'il était en l'air. Il me découvrit avec curiosité. Dans une torsion pas même croyable, il projeta sa manman-gueule vers moi. Je vis ses crocs luisants dans les mousses fabuleuses. Je le frappai encore. Biwoua. En plein sur une des côtes, mais ce fut chatouiller le tronc d'un fromager. Cette position ne permettait pièce ahan d'énergie. Je revins en six-quatre-deux à la bordure du trou, résigné à surveiller cette agonie de loin. À le frapper d'aventure le monstre sortait de là. Mes coups avaient décuplé ses fureurs. Ses bonds et ses torsions étaient plus terrifiants. Un rien désespérés. Mes yeux s'écarquillaient : je n'avais jamais vu telle débâcle infernale.

Soudain, dans une voltige de soufre, le molosse retomba hors du trou. En plein sur une terre molle emmaillotée de racines. Je le vis de son long affalé sur la tourbe incertaine. Ses pattes émulsionnaient une écumaille noirâtre. Sa gueule happait le vide. Soudain, il se calma, à bout de forces. Son corps n'exprimait plus que de l'essoufflement. Lentement, sa respiration s'apaisa tout en restant profonde. Il me regardait. Je contournai le trou pour être en face de lui. Lui me suivait des yeux. Nous fûmes bientôt face à face, séparés par dix mètres de matières troublées. La source fantastique lâchait des bulles de soufre qui crevaient en surface. L'eau claire perçait dessous les croûtes brisées et se répandait comme une huile féerique. Des taches lumineuses célébraient son éclat. Le monstre était affalé, le regard ferme accroché à mes yeux. J'étais épouvanté. Je le savais englué dans la vase. Je voyais son corps s'y enfoncer doucement. Bien qu'il fût pris au piège, j'étais épouvanté. Sans doute à cause de son regard dépourvu de toute peur. Il me fixait : curiosité terrible. Son problème n'était pas le piège marécageux, c'était moi. Et cela m'effrayait. Malgré son calme soudain et son essoufflement, son énergie se percevait intacte.

Je m'agenouillai pour mieux le regarder. Je pris un regard fixe, et découvris mes dents. Fallait l'impressionner. Lui suggérer (comme à moi-même) que je ne le craignais pas, qu'il m'était possible de l'achever ou bien de l'épargner. Nous restâmes ainsi dans un temps sans longueur. Yeux dans yeux. Lui, de plus en plus calme ; moi, pétrifié par mon jeu de vaillant et par une cacarelle. Les Grands-bois bougeaient autour de moi. Tout s'indifférenciait. Je flottais dans un tournis de présences agaçantes. La source (avec ses boues, ses eaux vierges, son soufre de cent mille ans) s'alliait à cette vision, aggravait son vertige. Je me retrouvai allongé dans l'humus, le regard à hauteur des yeux de mon ennemi. Yeux dans yeux. Pas ciller. Tenir ça. Tenir raide. Je m'instituais chasseur, le transformais en proie. Lui (je le sentais) se conservait opaque ; moi, un trouble affectait ma conscience. Les miasmes de la source devaient m'empoisonner. Les yeux du monstre aussi, ouverts en trous-sans-fond. Il était plus fort que moi. J'entendis cogner dans ma poitrine. Mon cœur voulait me défoncer les côtes. Je tremblai. Je gémis. Le monstre hurla. Je me relevai flap, et m'enfuis au plus vite. J'avais perdu ma mise.

Le monstre bondit en direction de la terre ferme. Il savait d'instinct où elle se trouvait. Il retomba lourd sur l'amorce de la berge. Rampa dans un profond sillon. Il parvenait à s'en sortir. Je revins affolé à l'endroit où il se dirigeait. Là, je le vis une fois encore en face. Gueule écumeuse. Le regard sans-manman. Je me sentis faiblir. Il rampait vers moi comme ne me craignant pas. La boue et les feuilles mortes lui transformaient le crâne. Il donnait l'impression d'un crabe souterrain qui labourait le sol. Je frappai à toutes forces. Biwoua. Biwoua. Mes jambes, enfoncées dans la vase, me déséquilibraient. Mes coups incertains ne ralentissaient pas la terrible avancée. Je crus retrouver l'Innommable tellement cette reptation était alliée au sol visqueux. Une résolution froide l'expulsait de la source, le regard droit sur moi. Ses yeux bientôt abîmèrent ma conscience. Je perdis le courage de frapper. Faible, je lui portais des coups qu'il déviait de la gueule. L'étau de sa mâchoire enserra mon boutou. Je tombai à genoux dans la fange limoneuse. Je ne pouvais rien faire. Ma résistance lui servait de levier pour avancer plus vite. Tirer sur mon boutou le halait vers la rive. J'abandonnai. Roulant sur moi-même, je m'enfuis. La peur supprima les succions autour de mes chevilles.

Courir. Je projetais mon corps à travers les broussailles, me cognais contre les troncs, me tordais sur les branches. Je me projetais vraiment. C'étaient des bonds, des sauts, des roulades, des mises en boule subites. J'étais le nègre d'une tête-folle pas contrôlable. Mes jambes se détendaient à dire des flèches perdues. Mes bras battaient l'air d'un envol impossible. J'allais en zinzolant. Je crus même tourner-virer en rond ce qui accrut ma cacarelle. Cette panique s'éteignit quand surgit le craquement. Yak. Une souche. Ma cheville. La bascule. Je me retrouvai démantelé sur le sol. L'engourdi puis la lancinance raide. Un soleil de douleur. Je voulus me lever. Je retombai encore. Un andièt-sa sans lumière m'avala.

*

Le molosse n'avait pas compris ce qui s'était passé. Il tenait bien la piste. Elle était devenue pas croyable. Les odeurs s'atténuaient dessous l'arroi de forces mouvantes. Des ondes qui scintillaient dans l'invisible. Des sons aigus, hachés en une rythmique complexe puis fluant en nappes sonores désaccordées. Le molosse recevait sur la gueule un vrai flux de mantras. Sa langue pendante captait des goûts impossibles à connaître. Ils éveillaient des damiers de songeries. L'animal prit goût de cuivre salé puis de crème de bois d'Inde, puis d'un cristal de roche dissous dans l'hydromel. Il prit goût savane à goyaves puis grainées de fougères. Il crut poursuivre une foule baignée par des pollens d'exode, des êtres de toutes natures, toutes odeurs, toutes peurs, tous vouloirs. Il accéléra : la proie se rapprochait. Elle était là, mouvante telle une pluie fifine. Le molosse gronda de surprise. La piste s'ouvrait immense comme un vent de cyclone. Tourbillonnante dans l'or et l'incendie. Le molosse crut rejoindre un géant. L'être poursuivi était boule de puissances. La bête en fut troublée : le sillage devint un dédale de miroirs et d'inversions brutales pleines d'odeurs en déroute. *Comme si l'être, ou les êtres poursuivis, s'en revenait vers lui.* À belle vitesse. Une autorité légère et assurée d'elle. Le molosse soudain se sentit pourchassé. Sa course devint celle d'une bête inquiétée. Un frisson le parcourut. Désagréable. Il voulut s'écarter du sillage magnifique, opérer une courbe pour mieux prendre à revers ce qui fonçait sur lui, mais le sol disparut. L'eau. Un trou d'eau l'aspira.

Il descendit profond. Lui, qui avait traversé des rivières et des fleuves, affronté des bras de mer démente ; qui savait fendre les courants pas faciles et explorer les coulées sous-marines ; lui, qui connaissait l'eau et ne la craignait pas, ne comprenait pas le phénomène où il était tombé. C'était une succion.
Elle était d'eau de roche de feu de terre de vent et de racines. Un boyau tout-vivant avide de digérer.

Une dangereuse la-porte. Le molosse se sentit menacé. Il se déchaîna. Débattements. Sauts. Happements de ventouse. Il lui fallait bondir en direction des odeurs de terre bonne qui flottaient tout autour. Il bondissait avec un rien de désespoir. C'est en l'air qu'il vit sa proie, ou plutôt la sentit. Ses yeux étaient chargés de matières végétales. Il entrevit une silhouette. Une pas croyable force émanait d'elle. *Un cristal de lumière.* L'être lui porta un coup. Faible. Puis un autre. Il n'utilisait pas l'intensité qui rayonnait en lui. Si ce potentiel se mobilisait, le molosse se savait perdu. Alors, il lança la gueule en direction de l'être. En vain. La silhouette devint un rougeoiement très vif. Puis une pulsation sombre. Craignant une contre-attaque, le molosse bondit plusieurs fois jusqu'à retomber sur un bout de fange stable. L'animal se mit à ramper. Et là encore, il vit, dans le trouble de ses yeux, surgir l'être formidable. Un prisme de clartés lunaires et d'obscurité pleine. L'être s'était transformé en une énergie pure. Le molosse rampa vers cette splendeur. Elle l'attirait. Des coups lui étaient portés mais si faibles qu'ils ne devaient pas provenir de la merveille vers laquelle il rampait. C'est elle pourtant qui le frappait. Sans doute un rite de défi. L'animal découvrait un adversaire à sa mesure. Cela réveillait la carnassière férocité qui explosait en lui au moment des périls. Il saisit de la gueule ce qui le frappait. La chose résista puis s'effrita entre ses crocs. Le molosse rampa jusqu'à la terre ferme où il put se dresser sur ses pattes. Prêt à se déchaîner. Mais l'être de force avait disparu. Le molosse crut qu'il s'était agi d'une hallucination. Mais la piste était là. Il la retrouva vite. Flamboyante. Très proche. Le molosse s'ébroua puis, à pas très prudents, il se mit à la suivre.

*

Je m'éveillai flap. Une douleur. Elle irradiait de ma cheville. Je me redressai au-dessus de ma jambe et crus mourir. Elle était cassée. Un angle horrible. Une pointe d'un blanc magique jaillissait d'une blessure. Mon os. Du sang moutonnait jusques en haut de ma cuisse. Cette vision décupla mes souffrances. Avec un restant de chemise, je me nouai un garrot à hauteur du genou. Il fallait remettre ma jambe en position normale. Je le fis en hurlant. D'un coup. Agonie. Vertige mortuaire. Avec deux tiges sèches, je me fis des attelles. Immobilisant la cassure dans un serré de petites lianes. Puis, je m'éloignai au plus vite, en rampant. Ver-terre tordu, emmêlé sur lui-même, pitoyable. Le sentiment d'un danger m'accablait. Le monstre se dirigeait vers moi. Il avait échappé au piège de la source et il venait vers moi. Sans courir. Il approchait lentement. Avec prudence ou certitude. Il me savait à sa merci.

6. La Pierre

Cette pierre est une roche. Elle a grossi aux profonds de mer, comme un boulet verdi.

Elle a roulé dans la faille atlantique où la chose inconnue palpite, elle a déplacé les plaques des continents, elle nous a fait trembler du tremblement de nos terres rouges, et c'est vrai, elle a enfanté le chien.

Ce béké s'appellerait la Roche, ou Laroche, selon l'humeur changeante des fougères de Balata. Est-ce le même qui fit parole avec Longoué ? En toutes manières, je prédis qu'il a connu Oriamé l'Africaine, et Marie Celat qui récite des histoires. Voici qu'elles entrent dans cette histoire-ci pour faire monter le grand vent des crêtes.

Elles courent la trace, pour donner voix dans cette nuit.

Mémoire des os,
seule trace sensible
aux désertés des œuvres.

Toucher,
feuillet VI

Ma jambe était lourde. Parfois, elle devenait légère. Insensible. Puis des feux l'agitaient. Je devais suspendre ma reptation et me tordre de douleur. J'avançai malgré tout assez vite. Je me glissais sous l'aisselle des racines, dans les creux de fougères, dans l'humus fabuleux qui me recouvrait presque. J'avais envie d'y disparaître. De m'enterrer aussi. J'enviais ces racines qui pénétraient le sol, loin. Elles se plongeaient sous terre pour mieux atteindre le ciel. Je m'évertuais à me vider l'esprit pour mieux leur ressembler. Avancer. Avancer.

Mes mains agrippaient tout, creusaient la terre, effeuillaient les branches basses. À la force du poignet, je m'envoyais-aller. Mes épaules et mes bras travaillaient, le reste n'était qu'un abandon de douleurs exténuées. Je disposais en revanche d'une haute lucidité. Mon esprit s'était déployé tel un manguier fleuri. Il aspirait l'orage d'un ciel chargé comme une terre noire. J'étais dissocié de mon corps ; de temps à autre, des zébrures douloureuses me rappelaient sa présence. Lointaine. La débâcle ouverte en moi par la blessure s'était dissipée ; elle ne m'effrayait plus. Je m'en occupai tel un pian familier. Ma reptation continuait de m'éloigner de mon corps. Je le traînais en chrysalide défaite. J'allais vers un autre monde.

L'air s'était fait lourd, plus humide, aussi chaud qu'aux aisselles d'un enfer. L'ombre s'élevait des racines et stagnait à mi-hauteur des troncs. L'éclat solaire flambait les hauts feuillages puis distribuait une luminescence sur la courbe des ombres. J'étais nimbé de brumes azurées. J'avais froid. Je découvris des orchidées et une fleur de fougère. La fleur de fougère. Je n'en avais jamais vu. Elle ne se montre, dit la Parole, qu'à la minuit des vendredis, pendant trente-trois secondes, d'un clair-de-rouge capable d'éclairer l'alentour. Là, je la découvrais d'un bleu-jauni tramé de vert-acier. Une somptueuse créature. Un prodige d'équilibres infimes. La fleur de fougère. C'était elle. Apte à rendre invisible, à désamorcer les quimbois envoyés. Elle pouvait en tombant révéler le sanctuaire d'un trésor de békés, ou enrichir ceux qui la transportaient pendant sept jours sept fois de suite au pendant de leur cœur. Elle pouvait dérouter à vie ceux qui la piétinaient. Quel signe était-ce ? Encore un cirque de ma tête-folle ? Je voulus la cueillir. Ma main s'éternisa au bord de ses sépales. Mes doigts tremblaient. J'avais toujours dédaigné les fleurs, ni cueilli ni offert ni respiré. Mon regard les avait ignorées, mais là, j'étais ému moins par les belles paroles que par la fleur elle-même. Une embellie. Je retirai la main, m'éloignai à regret ; me surprenant à la fixer tandis que je traînais mon corps dans la brume sans finissement et les ombrages glacials. J'étais content de l'avoir vue. Ou d'avoir cru la voir.

Je ne vis pas la Pierre tout de suite. J'avais avancé aussi vite que possible. Le sentiment du danger m'aiguillonnait. Je m'étais glissé dans le plus sombre, le plus étroit, le plus tortueux. Je m'étais vautré dans le décomposé pour dérouter le flair de mon bourreau. J'avais abordé les racines immenses d'un arbre inconnu, son feuillage d'ébène ne laissait pièce chance aux poudres de lumières, elles y tombaient comme dans un gouffre, et le fait-noir des alentours s'y abîmait. J'avais dû me hisser, et-puis laisser glisser, et me hisser encore par-dessus la racine, et retomber de manière infinie. La terre allait en pente. Je pus augmenter ma vitesse sans prendre de solibo. Je m'accrochais aux ébats de lianes et de vermicelles-diable. Je descendis descendis descendis. Je craignis même (tant la pente était forte) de glisser à nouveau vers la gueule d'une source. Mais le fond d'une ravine m'accueillit.

Une ravine d'émerveille.

Régente d'éternité.

Centre d'ombrages lumineux.

Le feuillage qui lui servait de ciel était voyages d'étoiles, trouées d'éblouissantes clartés. Tout y paraissait vivant et mort à l'extrême. J'étais entré dans l'immobilité la plus intense de ces Grands-bois. Mon esprit s'apaisa, ou plutôt il se détacha un peu plus de mon corps. La peur de mourir m'envahit. Je sollicitai mes douleurs devenues familières, insupportables mais humaines comme la fatigue d'une existence. Mes douleurs ooo ma chair !

Mes yeux restaient levés. Comme en imploration. Comme en adoration. Le feuillage des grands arbres, liquéfié par les brumes et les poinçons d'éclat, s'étirait au-dessus de la ravine en un halo opaque, féerique, peuplé d'insectes hagards. Araignées. Bêtes-à-diable. Papillons. Libellules à queue jaune. Toufailles de Yen-yen et de mouches. Des grappes de chauves-souris déformaient les lianes douces. Parfois, des grives trembleuses, tombées des hauteurs, surgissaient, émotionnées, puis remontaient là-même se dissiper dans la lumière. Je crus reconnaître des Cra-cra buveurs d'eau, des Carouges nichés sous de maternelles feuilles, des Siffleurs de montagne, des Colibris-madère dont le plumage sous certains angles distribuait des éclairs. Un drap de silence me couvrait, conforté par de languides fougères. Je rampai le long de la ravine. Elle se rétrécissait. Là-même, il me fut impossible d'avancer.

Une masse m'interdisait la route.

Il aurait pu s'agir d'un arbre mais cela ne grimpe vers aucune brillance. Aucun feuillage ne l'augmente. La chose est tassée, compacte, pleine d'elle-même, plutôt associée à la terre. Je crois me trouver devant une racine, mais la masse est régulière, mousseuse, sans la rugosité des séculaires écorces. Je ne la sens pas inerte. J'ai peur. Croyant avoir affaire à un monstre des contes, Bête-à-sept-têtes ou Dragon des peurs initiatiques. Mon esprit tracassé charge cette masse de toutes qualités d'ondes, et les interprète d'une manière pas bonne. Je crains le retour des visions torturantes du début de ma course. Rien ne surgit. Je m'adosse à la chose, essoufflé, cherchant comment la contourner.

Immense, elle se perd dans la broussaille. Je déblaie de côté pour forcer un passage. Ses flancs s'enfoncent dans les parois de la ravine. Je suis pris-là. Impossible de grimper par-dessus : ma jambe, mon corps si lourd, le cassé de mes bras. Je m'effondre contre elle comme un sac-guano vide. Ni tristesse, ni décourage, ni déses-poir. Je suis vide, bien chiffonné, usé. Ma peau épouse la mousse ancienne et sent vivre le bloc immémorial. Sa densité. Insondables épaisseurs. Il s'agit — Je le comprends alors — d'une bombe-volcan voltigée en des temps très an-ciens. Une pierre. Je la touche. Froide. Tiède. Vibrante au lointain de son cœur. Les âges l'ont couverte d'une vraie peau à frissons dessous mes doigts fiévreux. Sans doute suis-je tombé fou : je crois être affalé sur une pierre vivante. Je la tâte, ma paume effrite les matières, la pierre se réchauffe, fendille la coque d'une solitude de cimetière. La pierre est amicale. J'ouvre les bras pour la serrer contre moi, ou m'accrocher à elle laminée laminaire, et je ferme les yeux.

Charroi d'une douce langueur. Marigot des fatigues. Une espèce de sommeil. J'ai rêvé. Sans trop savoir de quoi. Images. Sons. Gestes. Siwawa de chauves-souris aux ailes repliées. Grenouilles solaires à l'aube des temps. J'ai les yeux ouverts, mais le rêve continue. C'est la Pierre. *La Pierre qui rêve*. Cognées. Creusements. Souffles rituels. Agonies-sacrifices. Petites lamelles d'or déifiant des narines. Grottes peuplées de cotonnades à forme humaine et aux yeux de graines-job. Vases blancs tracassés par une rouille intime. Pierres à trois pointes instruites des trois derniers mystères. Conques de lambi sculptées, disposées en gardiennes. Des jarres scellées sur de pensifs squelettes... Ces volutes roulent dans mon esprit. Elles se superposent à d'autres ondulations. Je crois voir des groupes d'hommes en soucieuses migrations, traversant des deltas, affrontant de hautes mers sur des arbres creusés, rebondissant sur des chapelets d'îles. Ils gobent des coquillages et les traitent comme des bijoux, ils flèchent des poissons-waliwa ou piègent des chatrous dans des mâchoires d'osier. Quand les rives d'accueil s'ouvrent sur fonds tombants, ils plantent du manioc-bois, déterrent des racines, et boucanent de beaux oiseaux, des agoutis et des iguanes. Ils sont des Grandes-terres et des îles. Ils ont vu le monde avec des mers moins larges, et leurs pas ont foulé la pierre des abysses d'à-présent. Ils partent comme on brise un destin, voyagent sur la trace des dieux égarés et des paradis que leurs légendes entretiennent. Mais ils ne rencontrent que les guerres et les haines, les vagues furieuses de leurs propres démences couvrant les précédentes.

La Pierre rêve. Elle m'engoue de ses rêves. Je me serre contre elle, la main avide. Mon esprit abandonne ses marques. Il est possible que je lui parle, que moi je parle à une pierre. Ou rêve avec elle. Oui, nos rêves s'entremêlent, une nouée de mers, de savanes, de Grandes-terres et d'îles, d'attentats et de guerres, de cales sombres et d'errances migrantes sur cent mille fois mille ans. Une jonction d'exils et de dieux, d'échecs et de conquêtes, de sujétions et de morts. Tout cela, grandiose hélée, tourbillonne dans un mouvement de vie — vie en vie sur cette terre. La Terre. Nous sommes toute la Terre.

Ma paume convulsive élimine les mousses. Je sens des formes sous mes doigts. Des formes creusées. Des cercles. Des traits. Des quadrillages. Des sinuosités épelant quelque chose. Je gratte la surface à ma portée. La Pierre est tout entière gravée. Têtes-vautour. Semis de points et lignes entrelacées. Pattes-grenouilles et labyrinthes. Des formes animales et humaines soumises à des forces invisibles. Cous-tortues et têtes-frégates. Lignes et spirales, doubles crosses, triangles et hachures. Mes yeux s'arrêtent à ces formes mais j'y devine des paroles fondatrices, des gestes sacrés et des conjurations. Pas une miette de la Pierre n'est demeurée vierge. L'ensemble vibrionne tel un tatouage sur des écailles vivantes. Les graveurs se sont succédé durant des temps-sans-temps. Pas les mêmes peuples, ni les mêmes outils ni les mêmes intentions. Un ouélélé de mythes et de Genèses. Je les sonde d'un doigt sensible comme celui d'un aveugle.

La Pierre est amérindienne. Ils avaient habité ce pays pendant et-cætera de temps, et gravé ainsi des pierres dans les Grands-bois. J'avais su leur extermination. De vieux Caraïbes m'avaient instruit des plantes, des poissons sans venin et des racines alliées. Ils avaient déroulé (pour moi qui m'en souciais si peu) les récits de leurs peuples : les temps d'avant-temps, les temps premiers, les temps perdus — un long fil de paroles qui s'efforçait de combler l'univers. Ils s'étaient accrochés à des gestes flottants et des paroles tombées. Ils m'avaient évoqué les terres qui entouraient celle-ci, et combien d'autres peuples fastes en des berceaux plus larges. Ils m'avaient murmuré espoirs et désespoirs, complaintes irréelles, liturgies momifiées, mémoires inutiles, savoirs défaits. J'avais voulu qu'ils m'apprennent à survivre ici-là, mais eux discouraient de leur être passé au centre de toutes choses. Je n'avais pas écouté. Jeunesse. Là, maintenant, je ré-entends tout cela. La Pierre ne me parle pas, ses rêves matérialisent dans mon esprit le verbe de ces mourants que j'avais délaissé. La Pierre est des peuples. Des peuples dont il ne reste qu'elle. Leur seule mémoire, enveloppe de mille mémoires. Leur seule parole, grosse de toutes paroles. Cri de leurs cris. L'ultime matière de ces existences.

Boule d'ivresse. Ces disparus vivent en moi par le biais de la Pierre. Un chaos de millions d'âmes. Elles content, chantent, rient. Certaines veulent me soutenir, d'autres me questionner. Des présences en fête, labiles, rapides, d'autres plus menaçantes sous l'orgueil d'un sacré. Je perçois des grâces féminines, habiles à s'approcher de moi. J'erre dans le tumulte d'un charroi d'impossibles. Éberlué. Je ne ressens plus ces blessures qui me hachent le corps. J'ai atteint une nervure d'alliance entre la mort et la vie, victoire et défaite, temps et immobilité, espace et néant. J'embrasse la Pierre comme un être-refuge. Je la presse contre moi. Je veux m'y dissoudre et ne rien laisser subsister de mes chairs. C'est alors que je revois le monstre.

Il avait remonté la ravine. S'était arrêté. À quelques mètres de moi. Me regardant. Je m'adosse à la Pierre, retrouvant la tourmente de ma jambe, le feu de mes blessures. Mais je désire le voir. Le dos contre la Pierre, j'éprouve l'apaisement. Pièce envie d'une mort entre les crocs de mon bourreau. Pièce désespoir. Non, je désire seulement voir cette créature qui m'a tourmenté durant cette course dont j'ignore le sens. Elle est passée par où je suis passé. Elle en fait partie. Le monstre m'observe aussi. Très croyant en lui-même. Puis, il avance. Le regard en pointe fixe. Il est maculé de boue, de sueurs et de pétales froissés. Des vermicelles-diable se sont noués à ses pattes. Il les traîne comme cheveux de méduses. On ne distingue plus la façon de son poil. Des mousses, des pistils d'orchidées, des fibres d'ananas-bois se sont greffés à son pelage. Il ressemble à ces idoles de sacrifices sur lesquelles se sont transmuées des matières innommables. Il approche de moi telle une masse inerte, très dense, opaque. Je ne perçois rien de lui, ni en ondes et en sons. Le chanté de la Pierre est en moi. Il m'emplit d'un évohé de vie.

*

L'être était puissant. Trop puissant. Le monstre avait suivi la piste avec prudence. Sa vieille férocité, son goût des guerres et des périls, avait atteint une virulence extrême. À mesure que la piste s'était modifiée, cette férocité était rentrée dans un bercail. Telle une brute des premiers âges revenant à sa grotte. La piste n'était plus un champ de forces ou de lumières. Elle s'était faite ivresse. Mélange d'éther et d'horizons. Un vertige incessant qui annulait le sol. Le monstre remontait ce sillage sans trop savoir comment. Rien de sa férocité n'était maintenant actif. Il

avançait vers ce mystère comme un chien de
berger.

*

Il parvient à deux mètres de moi. Il me fixe
d'une indéfinissable manière. J'ai l'impression
qu'il se campe au bord d'un précipice. Il fait
encore un pas. Puis un autre qui lui laisse une
patte à l'arrêt. Le monstre attend je ne sais quoi.
Mon garrot s'est défait. Mon sang fait bouillon
autour de l'os brisé. L'odeur de ma blessure
n'éveille point l'appétence du bourreau. Il est
un bloc indéchiffrable. Je ne sais que faire. Plus
la force de soulever le bras, de serrer une
branche et d'essayer une fois encore de lui
fendre la tête. Une idée faible me traverse. Saisir
une écharde aiguisée et l'égorger avec au
moment de son bond. Mes doigts glacés tâtent
le sol. Je n'ai pas peur. Je n'éprouve pas vraiment le désir de me battre. Je suis possédé d'une
vie indestructible.

*

Le Maître était perdu. Il n'entendait plus son
chien. Il ne savait en quel bord le chercher. Il
avançait vers un irrémédiable. Le vieil homme
avait peut-être égorgé l'animal. Le Maître chassa
vite cette idée car c'était impossible. Ce chien

était une Bête-de-guerre. Et de massacre. Il était rompu aux mœurs de ces nègres. Le vaincre n'était pas de ce monde. Pourtant, le Maître avait peur. Ce silence et cette déroute l'inquiétaient. Il marchait droit en priant pour que son chien soit demeuré dans cette ligne. Mais il se sentait égaré sans retour. Il se disait que ces bois l'avaleraient, que leurs murmures bientôt iraient aux damnations, que des gargouilles naîtraient des ombres pour lui chanter sa honte. Le Maître n'avait pas cessé de pleurer. Sans trop savoir sur quoi ni pourquoi, il avait pleuré telle une petite marmaille. Nul ne pouvait le voir, alors son rang et ses manières tombaient du plus haut ciel, et ses larmes affluaient sans contrainte. Il s'efforça de leur donner du sens. Il pleurait, se disait-il, pour ceux qui ne pleuraient pas, sur ce qui ne l'avait pas ému, sur ce qu'il n'avait pas vu, sur les tendresses impossibles à donner, sur l'insignifiance des fondations qu'il avait crues grandioses. Il pleurait sur l'échec triomphant qu'avait été sa vie. Parfois, il se ressaisissait. Se déclarait victime d'humeurs hallucinantes. Certaines plantes détenaient des humeurs vénéneuses. Ces résines devaient l'intoxiquer. Il se répétait cela ; mais il savait que sa détresse provenait de lui-même et combien ces arbres magnifiques forçaient aux dévoilements.

*

Je me cherche cette arme. Puis je m'avoue qu'il n'y a là qu'un réflexe de mes chairs. Que je peux me défaire de cela. Alors, j'ouvre les doigts. Je ramène mes avant-bras sur l'offre de mes genoux. Je m'applique à respirer comme en certaines soirées au devant ma case — la pluie tombée — que je me sentais bien. Réinvestir ces points si rares où je me sentais bien. Petits moments mouillés, cœur adouci seul, paix-là de bouche, et vent coulant. Mais le tumulte de la Pierre réapparaît en moi, symphonique et violent. Il réveille les désordres qui m'ont habité. Une danse de célébration intérieure se déclenche. Touffes d'oiseaux qui explosent. Voltes de papillons abîmés dans l'extase. Montées au rythme des tambours. Ordres à la pluie. Injonctions amoureuses aux fécondes. Soumissions au soleil. Misères des possessions dans le cercle des flammes. Impudeurs dans l'offrande des soieries sur un ventre. Paroles des nombres où l'eau rejoint sa couche. Destructions des limites... *Célébrations ! Célébrations !* Je suis content, seigneur des danses, de cette bouillante disharmonie. De cette mesure en démesure. Pourtant, tout cela se situe dans une infime partie de moi. Ce que j'appelle « moi » peut nicher aussi dans une partie infime de ce que je perçois. Ou que je reçois. Je ne suis ni passif ni actif. Ni en vouloir ni en coma. Un état pas ordinaire, à l'autre bord de ce monde mais avec lequel je peux vivre ce monde, cette jambe brisée, ce pauvre corps ridé, ce monstre impitoyable raidi en face de moi. Sans savoir pourquoi, je veux m'offrir un nom. M'attribuer un nom comme à l'heure des baptêmes que le Maître ordonnait. Je ne trouve rien. *Il y a tant de noms en moi.* Tant de noms possibles. Mon nom, mon Grand-nom, devrait pouvoir les crier tous. Les sonner tous. Les compter tous. Les brûler tous. Leur rendre justice à tous. Mais cela n'est pas possible. Rien ne m'est désormais possible. Tout m'est au-delà du nécessaire et du possible. Au-delà du légitime. Ni *Territoire* à moi, ni langue à moi, ni Histoire à moi, ni Vérité à moi, mais à moi tout cela en même temps, à l'extrême de chaque terme irréductible, à l'extrême des mélodies de leurs concerts. Je suis un homme.

Je crois pleurer mais pleurer n'a pas de sens. Je crois encore ressentir une souffrance, ou même un frisson de peur quand le monstre se rapproche de moi. Mais tout cela n'est que réflexe de chair. Souvenirs fous de muscles. Sensible fixe de mes os. Mes os. Que diront-ils de moi ? Comme ces peuples réfugiés dans une pierre, je vais aboutir à quelques os perdus au fond de ces Grands-bois. Je les vois déjà, ces os, architecture de mon esprit, matière de mes naissances et de mes morts. Certains feront poussières, d'autres roches. Certains se sculpteront jusqu'à l'informe, d'autres rêveront du cristal et des flûtes chantantes. Certains feront coquille sur le mystère d'une perle, d'autres iront l'invariable des cercles incommencés qui répugnent à finir. Mais cela n'a pas d'importance : ma salive a le goût de l'aurore. Le monstre, dit-on, se rapprocha. Mufle fétide. L'homme ne fut même pas surpris quand l'énorme gueule atteignit son visage.

*

Le monstre n'en crut pas ses yeux. Sa proie était mêlée à une pierre où grouillaient une myriade de peuples, de voix, de souffrances, de clameurs. Des peuples inconnus célébrant un éveil. L'être semblait une foudre qui traversait la Pierre. Une énergie qui ne rayonnait pas. Elle ne se projetait nulle part. Elle n'affectait pas l'éternité régnante. Une incandescence rentrée au plus extrême. Le monstre se rapprocha encore. Il perçut des choses que son esprit ne pouvait pas envisager. Il écarta bientôt ses propres souvenirs. Il écarta la masse de ses instincts où sommeillaient des conduites à tenir. Il se livra à ce qu'il recevait. Il regardait comme, du haut d'un abîme, on regarde le crépuscule d'un astre, ou le grand-œuvre de sa naissance. Il ne savait pas trop. Le monstre s'approcha encore de l'être et, sans trop savoir pourquoi, avec la conviction dont il était capable, se mit à le lécher. Il ne léchait pas du sang, ou de la chair, ou de la sueur de chair. Il ne prenait pièce goût. Il léchait. C'était l'unique geste qui lui était donné.

*

Le chien réapparut. Le Maître n'eut même pas un sursaut de plaisir. L'animal venait vers lui et le Maître ne l'identifiait pas. Il avait lâché un tueur, lui revenait un énorme animal, trop serein et trop calme. Le Maître s'agenouilla et le serra contre lui. Il le serrait comme on serre un cadavre pour lui ramener la vie. Mais le molosse avait changé. Ses yeux étaient mobiles. Ses yeux étaient brillants. Son muscle était tranquille, presque mol. Alors, le Maître pleura sur son monstre perdu.

Il suivit l'animal qui redescendait vers l'Habitation. Une tristesse accablait le Maître. Elle lui rendait plaisants les bois abandonnés d'un pas irrémédiable. Il n'avait pas l'impression de revenir bredouille, d'avoir perdu un nègre ou de s'être fait moquer par un ingrat de marron. Il revenait chargé de quelque chose qu'il ne pouvait nommer. Sa fatigue avait disparu, la honte et la peur s'étaient dissipées. Les larmes avaient séché sur son visage mais surtout en lui-même. En lui, maintenant, s'ébrouaient d'autres espaces qu'il n'emprunterait peut-être jamais, mais que ses enfants, dans quelque génération, un jour sans doute, au plein éclat de leur pureté et leur force légitime — c'était à espérer —, entreprendraient comme on aborde le premier doute.

7. *Les os*

Aujourd'hui les labours des cannes poussent leur nudité rouillée jusqu'au vert sombre des hauts. Ce qui fut retraite, tremblement, fureur de l'être et fumée des bois charbonnés peu à peu cède à l'engrais. Les histoires, les doubles, se réduisent, s'unifient. Les temps l'un à l'autre sont donnés. Qui revient pourtant sur la déclive du morne et fouille ?

Les os furent retrouvés au fond des bois. Très souvent de vieux-nègres viennent m'exhiber l'antan. Le Marqueur de Paroles est pour eux un gardien du passé. Gouverneur-souvenirs. Bailleur de nostalgies des âges et des époques, des certitudes et des identités. Ils m'offraient d'antiques objets ; me montraient des choses d'âge ; me proposaient leur vie à rédiger et leurs exploits à raconter. Celui qui me parla de la Pierre était un vieux-nègre-bois. Il fouillait des dégras tout-partout, de manière clandestine, sur les bois des Békés. Je l'avais connu au bourg du Morne-Rouge, lors du pèlerinage que je ne rate jamais. J'aime cette bombe populaire (et fervente) autour de l'église et des marches du calvaire. J'aime ces gens endimanchés qui livrent leurs chaînes aux rues et vendent n'importe

141

quoi. Je ne m'étais jamais soucié du religieux de cette fête. Pour moi qui crains les foules, cette rencontre respectait et nourrissait mes solitudes. J'avais bu l'absinthe-aux-trois-chenilles avec le vieux-nègre-bois. Il avait discuté de mes livres qu'il n'avait jamais lus et ne lirait jamais. M'avait félicité pour cet antan restitué au pays. J'achevais alors un ouvrage sur un quartier de Fort-de-France, une pauvre épopée qui me prenait vingt-six longueurs de temps et me laissait désemparé*. Je lui expliquais cela quand (sans doute pour dissiper l'ennui) il me parla d'une pierre.

Une pierre caraïbe.

Il l'avait découverte et personne d'autre que lui ne saurait la trouver. Elle était ancienne au dépassé, disait-il. Elle était bien magique au critique, disait-il. Magnifique sympathique. Il me proposa de la voir. Je m'intéressais un peu aux Caraïbes. Des amis spécialistes m'offraient les renseignements utiles à mes petits travaux. J'étais préoccupé de savoir comment un peuple disparu pouvait nous habiter, en quelle manière et quel mystère. Mais tous — anthropologues vraiment sérieux, religieux de la science — refusaient l'aventure dans cette fange poétique. Ils me l'abandonnaient volontiers. Je n'acceptai pas d'aller voir la Pierre. Ou alors, j'y allai avec lui

* *Texaco*, roman, Éditions Gallimard, Paris, 1992.

mais il ne la trouva point. Ou alors, un de mes frères y alla et la vit à ma place. Ou alors nul ne la vit, excepté ce vieux-nègre-bois qui sans doute m'en parla trop longtemps. À moins que ce ne fût mon frère.

Une roche volcanique. L'imaginer étonnante. Couverte de signes amérindiens. Guapoïdes. Saladoïdes. Calviny. Cayo. Suazey. Galibis. Toutes les époques s'y bousculant. Je l'aurais découverte avec surprise. J'en avais vu dans la forêt de Montravail, à Sainte-Luce, mais celle-ci ne lui était sans doute en rien comparable. La Pierre était semble-t-il dans une profonde ravine, très éloignée de tout. Sans doute un lieu cérémoniel. Le vieux-nègre-bois évoqua (à moi ou à je ne sais qui) une autre découverte. Il avait bien fouillé autour d'elle, sans doute à la recherche de ces trésors qui nous tracassent les rêves. Et il avait trouvé des os. Des os humains. Il m'en exhiba une rognure enveloppée dans du papier huilé en compagnie d'un vieux chapelet. Je la vis. Je la regardai. Je la touchai malgré ses mises en garde contre les maléfices. Lui-même disait ne pas savoir pourquoi il conservait cette esquille d'os. Il l'avait érigée en garde-corps de chance, relique contre la déveine.

Je revins souvent auprès de cette pierre. En rêve. Au-dessus de ces os. En rêve. Après les jours de désarroi mes songes sont marronneurs. Dans ces rêves, je m'adosse à la Pierre. Je contemple l'amas brouillé des os. Qui cela avait-il pu être ? Un Caraïbe. Sans doute. Un chaman caraïbe qui aurait vécu là, qui aurait gravé ses mémoires et se serait abîmé de vieillesse. Ou les os d'un blessé venu mourir dans le sanctuaire d'une crise initiatique. Mon esprit dériva ainsi auprès des Caraïbes. J'imaginais les os. Je les voyais étranges. Fossilisés. Pas de crâne. Un fémur.

Les clavicules. Des vertèbres. Quelques petits bouts informes. Des choses poreuses. Et un tibia brisé dont m'avait parlé le vieux-nègre-bois, ou mon frère peut-être. Ces os étaient chargés. Un cri muet sans sortie. Je le ressentais sans pouvoir l'exprimer. Qu'avaient-ils à me dire ? Et pourquoi revenais-je à eux si souvent dans ces rêves ? Nous avons si peu de mémoires intactes. Elles se sont usées, emmêlées en dérive, et n'ont jamais été répertoriées ; il y avait là raison pour que ces os me troublent. Ils auraient pu être de n'importe lequel d'entre nous. Amérindien. Nègre. Béké. Kouli. Chinois. Ils disaient une époque tout entière, mais ouverte dans l'incertain total. *Je n'aurais pas dû toucher à cette relique.*

Un jour, en imaginant le tibia brisé, je pensai aux nègres marrons. Cette ravine était un beau refuge pour l'esclave qui fuyait. Mon nègre marron aurait traversé les Grands-bois, aurait été blessé, serait venu mourir à l'aplomb de cette pierre. J'éprouvais ce qu'il avait pu ressentir dans cet endroit, si loin de tout, auprès de cette pierre dont les gravures grisaient toute imagination. *Roye, je n'aurais pas dû toucher à ce garde-corps.* J'étais victime d'une obsession, la plus éprouvante et la plus familière, dont l'unique sortie s'effectue par l'Écrire. Écrire. Je sus ainsi qu'un jour j'écrirais une histoire, cette histoire, pétrie des grands silences de nos histoires mêlées, nos mémoires emmêlées. Celle d'un vieil homme esclave en course dans les Grands-bois ; pas vers la liberté : vers l'immense témoignage de ses os. L'infinie renaissance de ses os dans une genèse nouvelle. *Je n'aurais dû toucher à rien.* J'essaierai de modeler mon vieux-bougre dans un langage de conte et de souffle de course. Un langage qui dirait sa parole en le signalant muet. Un langage qui mélangerait le silence de sa langue aux frappes dominatrices qui écrasaient son dire. Un langage sans haut ni bas, total en son vouloir, ouvert en son principe. Mon vieux bonhomme esclave partirait racorni et compact ; s'ouvrirait comme grand vent. *Ô je n'aurais pas dû.*

Je conserve le pas-comprenable de la Pierre et des os. Obsession. Le vieux-nègre-bois est mon complice, son garde-corps m'enveloppe. Mon frère, lui, attend que j'écrive une histoire caraïbe. Il a des quarts-de-mots qu'il me confie parfois. Je l'incite à les écrire lui-même. Il n'ose pas. Écrire est raide, dit-il. Je le lui concède trop vite. Mais j'avais pénétré au profond du pays. Compté. Répertorié. Touché aux saines admirations. Halé les imaginations perdues, les à-venir et l'en-présent des époques oubliées. Je nous savais maintenant projetés vers la vie, en plein cœur de nos os, confrontés aux Grands-bois du monde en train de se relier. Grands-bois des peuples qui font frères, *Territoires qui font Terre,* des langues qui hèlent concerts. Nous sommes tous, comme mon vieux-bougre en fuite, poursuivis par un monstre. Échapper à nos vieilles certitudes. Nos si soigneux ancrages. Nos chers réflexes horlogés en systèmes. Nos somptueuses Vérités. En élan vers l'à-construire imprévisible qui nous ouvre ses dangers. Affronter ce chaos, aller ce difficile, comprendre cette intention et la suivre jusqu'au bout. Cet Écrire-là est raide. Le vieil esclave m'avait laissé ses os, c'est dire : charroi d'histoires-mémoires et de temps rassemblés. J'imaginais sa dernière lutte, son ultime han d'effort. Cette jambe brisée lui avait enlevé l'illusion de la course pour désigner (d'une pointe terrible) le clair de son esprit. C'étaient des os de guerrier, dit mon frère si génial. D'un guerrier sans souci de conquête ou de domination. Qui aurait couru vers une autre vie. Vie de partage et d'échanges qui transforment. Vie d'humanisation du monde en son total. Sans doute possible. Mais mon bonhomme aurait pu aussi *courir tout simplement*. Une belle course, toute signifiante de sa très simple beauté, et ouverte à l'infini sur elle. Très souvent, au rêve de cette pierre, songer de ce tibia, je m'affranchis des militantes urgences. Je prends mesure de la matière des os. Ni rêve, ni délire, ni fiction chimérique : l'immense détour qui va jusqu'aux extrêmes pour revenir aux combats de mon âge, chargé des tables insues d'une poésie nouvelle. Frère, je n'aurais pas dû, mais j'ai touché aux os.

Décembre 96
Diamant - Morne Rouge - La Favorite

Cadences

Entre-dire d'Édouard Glissant :
L'intention poétique (1969), *La Folie Celat* (inédit).

DU MÊME AUTEUR

Aux Éditions Gallimard

CHRONIQUE DES SEPT MISÈRES, *roman*, 1986. Prix Kléber Haedens, prix de l'île Maurice.

CHRONIQUE DES SEPT MISÈRES, *suivi de* PAROLES DE DJOBEURS. *Préface d'Édouard Glissant* («Folio», *n° 1965*).

SOLIBO MAGNIFIQUE, *roman*, 1988 («Folio», *n° 2277*).

ÉLOGE DE LA CRÉOLITÉ, avec Jean Bernabé et Raphaël Confiant, *essai*, 1989.

ÉLOGE DE LA CRÉOLITÉ/*IN PRAISE OF CREOLE-NESS*, 1993. Édition bilingue.

TEXACO, *roman*, 1992. Prix Goncourt 1992 («Folio», *n° 2634*).

ANTAN D'ENFANCE, 1993. *Éd. Hatier*, 1990. Grand prix Carbet de la Caraïbe («Folio», *n° 2844 : Une enfance créole*, I). Préface inédite de l'auteur.

ÉCRIRE LA «PAROLE DE NUIT». LA NOUVELLE LITTÉRATURE ANTILLAISE, *en collaboration*, 1994 («Folio Essais», n° 239).

CHEMIN D'ÉCOLE, 1994 («Folio», *n° 2843 : Une enfance créole*, II).

L'ESCLAVE VIEIL HOMME ET LE MOLOSSE, *roman*, 1997. Avec un entre-dire d'Édouard Glissant («Folio», *n° 3184*).

ÉCRIRE EN PAYS DOMINÉ, 1997 («Folio», *n° 3677*).

ELMIRE DES SEPT BONHEURS. *Confidences d'un vieux travailleur de la distillerie Saint-Étienne*, 1998. Photographies de Jean-Luc de Laguarigue.

ÉMERVEILLES. Avec Maure, 1998 («Giboulées»).

BIBLIQUE DES DERNIERS GESTES, *roman*, 2002 («Folio», *n° 3942*).

À BOUT D'ENFANCE, 2004 («Haute Enfance»).

Chez d'autres éditeurs

MANMAN DIO CONTRE LA FÉE CARABOSSE, *théâtre conté, Éd. Caribéennes*, 1981.

AU TEMPS DE L'ANTAN, *contes créoles, Éd. Hatier*, 1988. Grand prix de la littérature de jeunesse.

MARTINIQUE, *essai, Éd. Hoa-Qui*, 1989.

LETTRES CRÉOLES, *tracées antillaises et continentales de la littérature, Martinique, Guadeloupe, Guyane, Haïti, 1635-1975*, en collaboration avec Raphaël Confiant, *Éd. Hatier*, 1991. Nouvelle édition («Folio essais», *n° 352*).

GUYANE, TRACES-MÉMOIRES DU BAGNE, *essai*, C.N.M.H.S., 1994.

LES BOIS SACRÉS D'HÉLÉNON, en collaboration avec Dominique Berthet, *Dapper*, 2002.

COLLECTION FOLIO

Impression Novoprint
à Barcelone, le 2 avril 2008
Dépôt légal : avril 2008
Premier dépôt légal dans la collection: avril 1999

ISBN 978-2-07-040873-3./ Imprimé en Espagne .